Le régime I. G.

■ le régime
indice **g**lycémique

La voie feu vert
de la perte de poids permanente

RICK GALLOP

**Ancien président de la Fondation de l'Ontario
des maladies du cœur**

Traduction de Johanne Forget

LES ÉDITIONS
PUBLISTAR
Ⓜ QUEBECOR MEDIA

Catalogage avant publication de Bibliothèque et Archives Canada

Gallop, Rick

  Le régime I. G.

  Traduction de : The G.I. diet.

  Comprend un index.

  ISBN 2-89562-159-4

  1. Index glycémique. 2. Régimes amaigrissants. 3. Perte de poids. 4. Régimes amaigrissants – Recettes. I. Titre.

RM222.2.G3414 2006   613.2'5   C2005-942180-0

Directrice des éditions : Annie Tonneau
Traduction : Johanne Forget
Révision linguistique : Annick Loupias
Correction d'épreuves : Corinne De Vailly
Conception graphique : Jean Lighfoot Peters
Mise en pages : Édiscript enr.
Conception de la couverture : Random House Canada, Carol Moskot
Graphisme de la couverture pour l'édition française : Antonella Battisti

Remerciements

Les Éditions Publistar reconnaissent l'aide financière du gouvernement du Canada par l'entremise du Programme d'aide au développement de l'industrie de l'édition (PADIÉ) pour ses activités d'édition. Nous remercions la Société de développement des entreprises culturelles du Québec (SODEC) du soutien accordé à notre programme de publication. Gouvernement du Québec – Programme de crédit d'impôt pour l'édition de livres – gestion SODEC.

Original title : THE G.I. DIET
Revised edition copyright © 2005 Green Light Foods Inc.
Copyright © 2002 Green Light Foods Inc.
Published by arrangement with Random House Canada, a division of Random House of Canada Limited

1re édition : 9 avril 2002
2e édition : 28 décembre 2004

Les Éditions PUBLISTAR
7, chemin Bates, Outremont (Québec) H2V 4V7
Téléphone : (514) 849 5259
Télécopieur : (514) 270-3515

Distribution au Canada
Québec-Livres
2185, autoroute des Laurentides
Laval (Québec) H7S 1Z6
Téléphone : (450) 687-1210
Télécopieur : (450) 687-1331

©Les Éditions Publistar, 2006
Dépôt légal : premier trimestre 2006
Bibliothèque nationale du Québec
Bibliothèque nationale du Canada
ISBN : 2-89562-159-4

Table des matières

Préface

On peut difficilement ignorer, surtout quand on est cardiologue, que l'obésité a atteint des proportions épidémiques en Amérique du Nord. Un adulte sur trois en est atteint, et chez les enfants et les adolescents, le rapport est de un sur quatre. Dans ma pratique, je vois un nombre disproportionné de patients qui ont des kilos en trop ou sont obèses, parce que l'obésité est reconnue comme un facteur de risque en lien avec les états pathologiques à l'origine des crises cardiaques et des accidents vasculaires cérébraux. Contrairement à la croyance populaire, la graisse abdominale n'est pas un simple dépôt passif de surplus de poids ; elle est activement associée à des hormones dangereuses pour la santé. Le tour de taille supérieur à 101 cm (40 po) pour les hommes et à 89 cm (35 po) pour les femmes indique un risque élevé de maladie coronarienne.

Des millions de personnes sont au régime et dépensent des milliards de dollars dans des programmes d'autothérapie, des livres qui proposent des solutions miracles, des programmes d'amaigrissement, des boissons et des aliments diététiques. La croissance soutenue de l'industrie de la perte de poids est garantie, parce qu'un grand nombre de ces programmes et pratiques échouent devant des espoirs irréalisables. En effet, bien des personnes qui suivent des régimes finissent avec un poids qui excède leur poids original. L'obésité est un état pathologique chronique, et la gestion de poids efficace exige une stratégie comportementale à long terme. Les promesses des régimes d'amaigrissement faciles sont fausses et ne donnent pas de résultats à long terme. La perte de poids initiale marquée qui caractérise les régimes faibles en hydrates de carbone, par exemple, est causée par la perte d'eau et une déplétion des réserves de glucides (glycogène), et non à une perte de graisse. Les régimes faibles en hydrates de carbone sont riches en protéines et en matières grasses, et pauvres en fibres et en plusieurs importants oligo-éléments ; ils ne peuvent donc pas servir de point de départ à une alimentation saine à long terme et au maintien de la perte de poids. Ces régimes sont associés à une augmentation de la constipation et des maux de tête, et on craint, dans la communauté médicale, qu'ils augmentent les risques de maladies cardiovasculaires et de cancers.

La majorité des personnes qui suivent des régimes accumulent inévitablement les échecs, parce qu'elles poursuivent l'illusion du poids rêvé et de la solution rapide, plutôt que d'apprendre par l'expérience et d'affronter enfin la réalité d'une perte de poids réalisable et permanente. Les lois de la thermodynamique sont irréfutables, même pour les personnes qui suivent des régimes : pour perdre un demi-kilo (1 lb), il faut réaliser un déficit de 3 600 calories.

Pourquoi lire un livre de plus sur une longue liste de promesses de renouvellement personnel ? Si vous voulez une fiction sur l'amaigrissement, ce livre n'est pas pour vous. Le livre de Rick Gallop propose une approche de la gestion du poids innovatrice, réaliste, simple et à long terme. L'auteur a puisé dans sa longue expérience auprès de la Fondation des maladies du cœur de l'Ontario et dans ses programmes de recherche et d'information publique. Il traite des principes de nutrition avec humour et les illustre de quelques anecdotes, ce qui leur donne de la vie et les rend plus faciles à absorber.

En s'appuyant sur ces connaissances pratiques, Rick aborde ensuite le problème de la perte de poids sous l'angle d'une entreprise à longue échéance. Il vous guide dans la découverte des éléments favorables à la modification du comportement, dont l'établissement d'objectifs précis et réalisables : Combien de kilos dois-je perdre par semaine ? Comment parviendrai-je à le faire exactement ? Quelle doit être ma réaction, s'il m'arrive de faiblir ? Comment puis-je faire face aux déjeuners ou aux dîners d'affaires, aux muffins des réunions de midi, à la restauration rapide ou aux dîners officiels ? On ne vit qu'une fois, et la nourriture est l'un des grands plaisirs de la vie. Personne n'aime compter les calories. *Le Régime I. G.* présente aux lecteurs un guide simple sur le choix des aliments, à la maison et ailleurs, avec des images faciles à se rappeler, des conseils pratiques, des recettes savoureuses et des stratégies de rétroaction et d'auto-surveillance. L'ouvrage aborde également l'importance vitale de l'exercice. Enfin, Rick Gallop a inclus divers outils d'aide à l'amaigrissement que les lecteurs ne manqueront pas de trouver utiles.

Comme je voyage beaucoup et que je prends souvent mes repas à l'extérieur, je dois être constamment vigilant en ce qui concerne mon poids. Les principes et les idées que présente Rick Gallop dans le présent ouvrage m'ont été très bénéfiques. *Le Régime I. G.* trace un parcours qui, s'il est suivi, respecte ses promesses concernant la perte de poids permanente.

Michael J. Sole, bachelier ès sciences (hon.), M.D.,
FRCP (C), FACC, FAHA
Ex-directeur de cardiologie, University Health Network
Professeur de médecine et de physiologie
Fondateur du Heart and Stroke, Richard Lewar Centre
of Excellence, Université de Toronto

Introduction

Je suis étonné et ravi du nombre de personnes qui se sont procuré *The G.I. Diet*, ont suivi ses conseils et sont parvenues à atteindre leur poids idéal. Dans un monde de régimes fades et de conseils douteux, des centaines de milliers de personnes ont choisi le moyen le plus efficace et le plus sain de perdre du poids pour de bon – hourra ! Le livre est devenu un best-seller national au Canada, aux États-Unis et en Angleterre, et il existe maintenant en 10 langues dans une douzaine de pays. Je reçois chaque jour des lettres et des courriels de lecteurs qui me disent combien ils ont perdu de poids et à quel point cela a changé leur vie. C'est là ma plus grande récompense, parce que c'est exactement ce que je voulais accomplir lorsque j'ai décidé d'écrire ce livre : aider les gens à retrouver la santé et à se sentir bien dans leur peau.

Je sais ce que c'est que d'avoir des kilos en trop et d'essayer un régime de privations après l'autre, sans succès. Il y a plusieurs années, à la suite d'un problème de disque lombaire, j'ai dû renoncer à mon jogging matinal régulier. En un rien de temps, j'ai pris 10 kg (22 lb) et – encore pire pour mon orgueil – 10 cm (4 po) de tour de taille. À titre de président de la Fondation des maladies du cœur de l'Ontario, mon travail consistait à réunir des fonds pour la recherche sur les maladies cardiovasculaires et les accidents vasculaires cérébraux, et à promouvoir le choix d'habitudes de vie saines propres à réduire les risques relatifs à ces maladies. Et voilà que j'avais moi-même un surplus de poids. Il m'a fallu tout d'un coup mettre en pratique ce que je prônais depuis 10 ans, ce qui m'a fait réfléchir. J'ai essayé environ une douzaine de régimes populaires différents, j'ai compté les calories, les points, les hydrates de carbone et les blocs, j'ai eu des tiraillements d'estomac, des hallucinations relatives à la nourriture, et je n'ai jamais réussi à perdre ces 10 kg (22 lb).

Heureusement, juste comme j'étais sur le point de craquer, j'ai trouvé par hasard un mode d'alimentation qui a changé ma vie. J'ai enfin perdu le poids qui me tourmentait depuis si longtemps, et ce fut une révélation. Vous pouvez imaginer à quel point j'étais excité. Je voulais en parler à tout le monde, mettre pour toujours un terme aux frustrations que causent les régimes et réduire les risques de crises cardiaques et d'accidents vasculaires cérébraux. J'ai demandé à 50 volontaires d'essayer la solution que je venais de découvrir au problème de la perte de poids. Après un an, seulement deux de ces volontaires avaient réussi à respecter le régime. J'étais complètement dérouté. J'ai discuté avec chacun des 48 volontaires afin de découvrir pourquoi ils avaient abandonné. Ils ont tous donné les deux mêmes motifs : 1) ils se sentaient affamés et frustrés pendant qu'ils suivaient le régime ; 2) ils détestaient avoir à compter et mesurer les calories, les points et les hydrates de carbone. J'ai compris que, si je pouvais éliminer ces deux obstacles, c'est-à-dire la faim et la complexité, le régime fonctionnerait pour tout le monde.

C'est ce qui a donné lieu à *The G.I. Diet*, et les dizaines de milliers de courriels que j'ai reçus ont répondu à la question de son efficacité. La réponse enthousiaste m'a incité à écrire *Living the G. I. Diet*, qui donne plus de suggestions sur la manière de respecter le régime, ainsi que plus de 100 recettes d'Emily Richards, la populaire coanimatrice de l'émission télévisée *Canadian Living Cooks.*

Depuis la publication des livres, de plus en plus de recherches ont été réalisées sur l'efficacité du régime à faible indice glycémique. Une étude récente de Harvard a démontré que les animaux soumis à un régime équilibré à teneur élevée en glucides prenaient plus de poids, doublaient leur masse de graisse et perdaient une plus grande part de leur masse musculaire que les animaux soumis à un régime identique à faible teneur en glucides. Dans le groupe du régime à haute teneur en glucides, on a également constaté une augmentation de la glycémie et une probabilité élevée de contracter un diabète.

Compte tenu des recherches récentes et des nouvelles informations qui me sont parvenues, j'ai décidé d'écrire cette édition revue et mise à jour. J'ai intégré des ajouts aux listes d'aliments feu rouge, jaune et vert, 40 nouvelles recettes, un plan de repas et un tas d'anecdotes personnelles qui devraient contribuer à vous motiver dans vos objectifs d'amaigrissement personnels. J'ai hâte de recevoir vos commentaires et suggestions sur mon site Web : www.gidiet.com

Le plus merveilleux rêve dans la vie est de croire qu'on a été utile à quelqu'un. J'aimerais exprimer ma gratitude aux centaines de milliers de lecteurs qui m'ont permis de réaliser ce rêve !

CHAPITRE UN

Le problème

Pendant que j'étais engagé dans ma guerre personnelle contre le tour de taille, j'ai été frappé par le nombre de personnes qui menaient le même combat que moi. Les statistiques sont vraiment stupéfiantes : 50 % des adultes canadiens ont aujourd'hui des kilos en trop. C'est plus que le double d'il y a 10 ans. Le plus inquiétant, c'est que le taux d'obésité chez les enfants a triplé depuis 20 ans. Que nous est-il arrivé ? Pourquoi avons-nous pris tant de poids ces dernières années ?

La simple explication est que les gens consomment trop de calories. À moins que l'on nie les lois fondamentales de la thermodynamique, l'équation est immuable : quand on consomme plus de calories que l'on en dépense, le surplus est emmagasiné dans le corps sous forme de graisse. Ce fait est inéluctable. Toutefois, cela n'explique pas pourquoi, de nos jours, les gens absorbent plus de calories qu'avant. Pour répondre à cette question, il faut d'abord comprendre les trois éléments principaux de tous les régimes – les glucides, les lipides et les protéines – et leur action dans notre système digestif. Comme les lipides sont sans doute l'élément le plus mal compris, nous commencerons avec eux.

Les lipides

Les lipides ont très mauvaise réputation ces temps-ci. Le terme engendre beaucoup de confusion et de contradictions. Saviez-vous que les lipides sont absolument essentiels à un régime alimentaire nutritif ? Ils contiennent divers éléments fondamentaux qui ont une fonction cruciale dans le processus digestif.

L'affirmation suivante vous étonnera peut-être aussi : les lipides ne font pas forcément grossir. C'est la quantité consommée qui fait grossir. Malheureusement, celle-ci est souvent difficile à contrôler, parce que le corps *adore* les lipides. Les aliments non gras demandent beaucoup de transformations avant de se convertir en cellules adipeuses autour de votre taille et de vos hanches ; les aliments gras s'y glissent directement. La transformation demande de l'énergie, et le corps déteste gaspiller de l'énergie. Il doit dépenser de 20 à 25 % de l'énergie qu'il tire des aliments non gras juste pour les transformer. Alors, le corps préfère de loin les aliments gras. Comme nous le savons tous par expérience, il fait tout ce qu'il peut pour nous persuader d'en manger plus. C'est pourquoi nous aimons tant le goût des aliments gras, comme le bifteck juteux, le chocolat et la crème glacée «décadente». Toutefois, comme les lipides contiennent deux fois plus de calories par gramme que les glucides et les protéines, nous devons vraiment surveiller la quantité d'aliments gras que nous consommons.

En plus de limiter la *quantité* de lipides que nous consommons, nous devons surveiller le *type* de lipides. Le type de lipides n'a pas d'effet sur notre poids, mais il est crucial pour notre santé, et surtout pour la santé de notre cœur.

Il y a quatre types de lipides : les meilleurs, les bons, les mauvais et les très vilains. Les «mauvais» lipides sont appelés graisses saturées. On les reconnaît facilement, parce qu'elles viennent presque toujours de sources animales et qu'elles deviennent solides à la température ambiante. Le beurre, le fromage et la viande sont tous riches en graisses saturées. Vous devez également en connaître quelques autres : l'huile de coco et l'huile de palme sont deux huiles végétales saturées et, parce qu'elles sont peu coûteuses, on les utilise dans de nombreux aliments de collation, surtout les biscuits. Les graisses saturées sont une des principales causes des maladies cardiaques, parce qu'elles augmentent le cholestérol, qui à son tour épaissit les artères et cause les crises cardiaques et les accidents cérébrovasculaires. En outre, une recherche récente a démontré que plusieurs cancers – du poumon, du côlon et de la prostate – ainsi que la maladie d'Alzheimer sont associés aux régimes riches en graisses saturées.

Il y a 15 ans, un riche industriel américain a eu une crise cardiaque. Comme de nombreux hommes d'affaires prospères, il détestait les surprises et il a voulu savoir ce qui avait causé ce changement inattendu de son état de santé. Lorsqu'il a découvert que plusieurs des produits alimentaires les plus populaires contenaient des huiles tropicales comme l'huile de palme et l'huile de coco, il a publié une annonce pleine page dans le *Wall Street Journal* qui disait : « CES NEUF PRODUITS TUENT LES AMÉRICAINS. » Quarante-huit heures plus tard, huit des neuf produits étaient reformulés sans les huiles tropicales. Vérifiez les étiquettes.

Les « très vilains » lipides sont potentiellement les plus dangereux. Ce sont les huiles végétales traitées à la chaleur pour les faire épaissir. Ces huiles hydrogénées prennent les pires caractéristiques des graisses saturées. Donc, ne les utilisez pas, et évitez les grignotines, les produits cuits au four et les céréales qui en contiennent. Surveillez sur les emballages la mention d'« huiles hydrogénées », « huiles partiellement hydrogénées » ou « acides gras trans ».

Les «bons» lipides sont les matières grasses polyinsaturées, qui ne contiennent pas de cholestérol. La plupart des huiles végétales, comme l'huile de maïs ou de tournesol, appartiennent à cette catégorie. Cependant, ce que vous devriez vraiment utiliser, ce sont les matières grasses monoinsaturées, les «meilleurs» lipides, que l'on trouve dans les olives, les arachides, les amandes et les huiles d'olive et de canola (colza). Les matières grasses monoinsaturées ont un effet bénéfique sur le cholestérol et elles sont bonnes pour le cœur. (Voir le chapitre 10, pour de plus amples renseignements sur le cholestérol et les maladies cardiaques.) Bien que les huiles d'olive de luxe soient coûteuses, les marques maison vendues à prix raisonnable au supermarché présentent les mêmes avantages pour la santé. L'huile d'olive est abondamment utilisée dans le célèbre régime méditerranéen, qui est également riche en fruits et légumes. À cause de leur alimentation, les Européens du sud présentent le plus faible taux de maladies cardiaques au monde, et l'obésité n'est pas courante dans les pays de l'Europe méridionale. Alors, cherchez les matières grasses et les huiles monoinsaturées sur les étiquettes des produits alimentaires. La plupart des fabricants qui les utilisent le précisent, parce qu'ils savent que c'est un important argument de vente auprès des consommateurs avertis.

Une autre huile très bénéfique, qui est dans une catégorie à part, contient un merveilleux ingrédient qu'on appelle oméga-3. On trouve cette huile dans les poissons de grands fonds comme le saumon, ainsi que dans les graines de lin et de canola. Elle est extrêmement bonne pour la santé du cœur (voir page 231).

Nous savons donc qu'il est important d'éviter les mauvais et les très vilains corps gras et d'intégrer les meilleurs à notre alimentation pour que notre cœur soit en bonne santé. En général, nous essayons de réduire notre consommation de matières grasses en choisissant des coupes de viande plus maigres et en buvant du lait moins riche. Pourtant, malgré ces modifications, notre consommation de lipides n'a pas diminué. Pourquoi ? Parce que plusieurs de nos aliments préférés, comme les craquelins, les muffins, les céréales et les produits de restauration rapide, contiennent des matières grasses cachées. Il semble souvent nécessaire d'avoir un diplôme d'études supérieures en nutrition pour les détecter, parce que, jusqu'à tout récemment, l'étiquetage des éléments nutritifs était optionnel au Canada (comme aux États-Unis). La prudence consiste à éviter les aliments dont l'emballage ne comprend pas la liste des éléments nutritifs, car cela indique généralement que le fabricant a quelque chose à cacher.

LES HUILES OU LES GRAISSES À FRITURE

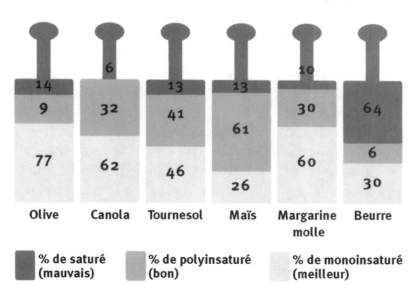

14	6	13	13	10	64
9	32	41	61	30	
77	62	46	26	60	6
					30
Olive	Canola	Tournesol	Maïs	Margarine molle	Beurre

■ % de saturé (mauvais)   ■ % de polyinsaturé (bon)   ■ % de monoinsaturé (meilleur)

Donc nous ne mangeons pas moins de lipides, mais, contrairement à la croyance populaire, nous n'en mangeons pas plus non plus. La consommation de lipides est demeurée pratiquement constante au cours des 10 dernières années, mais le taux d'obésité a doublé. De toute évidence, les coupables ne sont pas les lipides. Ce qui a augmenté, c'est notre consommation de *blé*. Le blé est un glucide. Voyons comment fonctionnent les glucides.

EN RÉSUMÉ

1. Consommez moins de lipides, et intégrez à votre régime alimentaire des options à faible teneur en gras.
2. Mangez des matières grasses monoinsaturées et polyinsaturées seulement.

Monsieur Gallop,

J'aimerais vous exprimer ma sincère gratitude pour *Le Régime I. G.*, comme l'ont fait tant d'autres « chasseurs de bourrelets » reconnaissants... Après 140 jours de régime, j'ai perdu 10 kg (20 lb), et 18 cm (7 po) de tour de taille. Ce n'est pourtant pas le plus beau – je l'ai déjà fait. Cette fois, j'ai perdu les kilos sans douleur, et avec l'assurance d'avoir trouvé une façon efficace, saine et permanente de contrôler mon poids. En outre, j'ai plus d'énergie... Je crois sincèrement que Santé Canada devrait, à titre de service public, appuyer et promouvoir votre programme d'amaigrissement.

Merci encore.

Gilles

Les glucides

Il y a malheureusement une grande part de désinformation sur les glucides dans les produits mis en marché. Celle-ci découle principalement de l'engouement actuel pour les régimes faibles en glucides, qui veulent nous faire croire que nous perdrons du poids si nous consommons uniquement des aliments pauvres en glucides. Si seulement c'était aussi simple. La réalité, c'est qu'une alimentation équilibrée doit contenir des glucides et qu'il ne faut pas les éviter. L'important est de choisir les bons glucides, comme les fruits, les légumes, les légumineuses, les grains entiers, les noix et les produits laitiers à faible teneur en matières grasses. Ces aliments sont la principale source d'énergie pour le corps, qui les convertit en glucose. Le glucose se dissout dans la circulation sanguine et est dirigé vers les parties du corps qui utilisent cette énergie, comme les muscles et le cerveau. (Vous serez peut-être étonné d'apprendre que, quand vous vous reposez, votre cerveau utilise environ les deux tiers du glucose de votre système !)

Les glucides sont donc essentiels au fonctionnement du corps. Ils sont riches en fibres, vitamines et minéraux, y compris en antioxydants, que l'on croit à présent avoir un rôle vital dans la protection contre les maladies, particulièrement les maladies cardiaques et le cancer. Pendant des années, les médecins, les nutritionnistes et le gouvernement nous ont recommandé de manger des aliments pauvres en matières grasses et riches en glucides, et les céréales forment la base du *Guide alimentaire canadien*. L'ennui, c'est que cela nous a incités à trop compter sur eux. Il suffit de penser à l'espace considérable occupé par les produits à base de céréales dans les supermarchés aujourd'hui : les immenses rayons de craquelins, de biscuits et de grignotines ; les rangées complètes de céréales ; les nombreuses tablettes de pâtes et de nouilles ; et les innombrables paniers de bagels, de petits pains, de muffins et de miches de pain. Je me souviens de l'époque où les bagels étaient réservés à la communauté juive ; maintenant, la plupart des magasins d'alimentation en vendent une demi-douzaine de variétés, et les chaînes de magasins de bagels se répandent partout dans le pays. Les muffins n'ont jamais été aussi abondants qu'aujourd'hui. (Il n'y a pas si longtemps, une de mes collègues se présentait chaque jour au travail les yeux larmoyants. Lorsque je lui ai demandé ce qu'elle avait, elle m'a expliqué qu'elle passait ses nuits à faire cuire des muffins de diverses saveurs pour un nouveau projet de commerce de détail de son mari, Michael Bregman. Celui-ci a fondé la chaîne Mmmuffins, et, comme on dit, le reste appartient à l'histoire.)

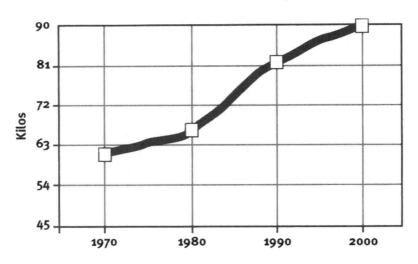

CONSOMMATION DE BLÉ (en kilos, par personne)

Source : ministère de l'Agriculture des États-Unis (1970-2000)

Les pâtes alimentaires, qui sont un autre phénomène alimentaire moderne, ont déjà été considérées comme une spécialité ethnique en Amérique du Nord. C'est difficile à croire aujourd'hui, quand on pense que les pâtes figurent au menu de la plupart des restaurants et sur la liste d'épicerie de chaque famille. Quatre-vingts pour cent des foyers canadiens servent maintenant des pâtes au moins une fois par semaine. Et nos choix de collations se sont multipliés : les craquelins, les croustilles, les chips au maïs, les bretzels et d'innombrables variétés de biscuits, pour n'en nommer que quelques-uns.

En 1970, le Nord-Américain moyen mangeait environ 62 kg (135 lb) de céréales. En 2000, ce chiffre était passé à environ 90 kg (200 lb). Une augmentation de 50 %. Pourquoi devrions-nous nous en inquiéter ? Le blé, le maïs et le riz ne sont-ils pas pauvres en matières grasses ? Comment le blé peut-il nous faire grossir ?

La réponse réside dans le *type* de blé que nous mangeons aujourd'hui, la plupart du temps sous la forme de farine blanche. La farine blanche est à l'origine du blé entier. À la minoterie, le blé entier est passé à la vapeur et décortiqué au moyen de lames tranchantes comme des lames de rasoir, qui en retirent le son, ou le péricarpe, et l'albumen, la couche suivante. Ensuite, l'huile et le germe de blé sont retirés, parce qu'ils deviennent trop rapidement rances pour avoir une viabilité commerciale. Ce qui reste après tout ce traitement est la farine non blanchie, qui est ensuite blanchie et qui sert à la préparation de la plupart des pains, bagels, muffins, biscuits, craquelins, céréales et pâtes que nous consommons. Même que plusieurs pains «bruns» sont de simples pains blancs colorés artificiellement.

Le blé n'est pas le seul aliment à subir, de nos jours, un traitement considérable. Il y a 100 ans, la plupart des aliments passaient directement de la ferme à la table. La réfrigération inexistante et les maigres connaissances sur la chimie alimentaire impliquaient que la majorité des aliments conservaient leur état original. Toutefois, les progrès de la science, ainsi que la migration des femmes de la cuisine vers le marché du travail ont entraîné une révolution dans le domaine des aliments préparés. Tout a été assujetti à la rapidité et à la simplicité de préparation. Aujourd'hui, les minoteries haute vitesse utilisent des rouleaux en acier, plutôt que les traditionnelles meules en pierre, pour réaliser un produit moulu extrêmement fin, idéal pour la fabrication de pains et de pâtisseries légers. Il existe maintenant du riz et des pommes de terre instantanés, ainsi que des repas complets prêts à manger après seulement quelques minutes au micro-ondes.

Le problème, c'est que plus un aliment est transformé par rapport à son état naturel, moins le corps a besoin de le transformer pour le digérer. Plus nous digérons rapidement les aliments, plus nous avons faim de nouveau, et plus nous avons tendance à manger. Nous savons tous quelle est la différence entre manger un bol de gruau à cuisson lente à l'ancienne, et manger un bol de céréales froides sucrées. Le gruau ne nous quitte pas – il nous colle aux côtes, comme disait ma mère. Par contre, une heure après avoir mangé un bol de céréales sucrées, nous avons hâte d'arriver au prochain repas. C'est pourquoi nos ancêtres n'avaient pas le problème d'obésité que nous connaissons aujourd'hui. Toutes les grandes entreprises alimentaires, comme Kraft, General Foods, Kellogg's, McCain, Nabisco et Del Monte, n'ont commencé à transformer et à conditionner des aliments naturels que durant le siècle dernier.

Notre problème fondamental, donc, c'est que nous mangeons des aliments trop faciles à digérer pour notre corps. Nous ne pouvons évidemment pas remonter le temps vers une époque plus modeste, mais nous devons ralentir le processus de digestion pour ressentir la faim moins souvent. Comment pouvons-nous y parvenir ? Nous devons manger des aliments « à absorption lente », qui se transforment à un rythme lent et régulier dans notre système digestif et qui nous font sentir rassasiés pendant plus longtemps.

Comment reconnaître les aliments « à absorption lente » ? Il y a deux indices. Le premier est la quantité de fibres dans l'aliment. Les fibres, en bref, sont des aliments bourratifs à faible teneur en calories. Elles ont en fait une double action : elles comblent l'estomac, ce qui nous procure une sensation de satiété ; et le corps met plus de temps à les décomposer, de sorte qu'elles restent avec nous plus longtemps et ralentissent le processus digestif. Il y a deux formes de fibres : les fibres solubles et les fibres insolubles. On trouve les fibres solubles dans des aliments comme l'avoine, les haricots, l'orge et les agrumes. Par ailleurs, il a été démontré qu'elles réduisent le taux de cholestérol dans le sang. Les fibres insolubles sont importantes pour le fonctionnement normal des intestins. On les trouve généralement dans les pains et les céréales de blé entier, et dans la plupart des légumes.

Le deuxième outil pour reconnaître les aliments à absorption lente est l'indice glycémique, que je vais maintenant expliquer. Il est le cœur du présent régime et la clé de la réussite dans le contrôle du poids.

EN RÉSUMÉ
Mangez des aliments qui n'ont pas subi d'importante transformation et qui ne contiennent pas d'ingrédients considérablement transformés.

L'indice glycémique

L'indice glycémique mesure la rapidité avec laquelle nous digérons les aliments et les convertissons en glucose, la source d'énergie du corps. Plus un aliment se décompose rapidement, plus son indice glycémique est élevé. L'indice fixe le sucre (glucose) à 100 et note tous les aliments par rapport à ce chiffre. Voici quelques exemples :

Baguette	95	Beigne	76	Muffin (son)	56	Avoine	42	Fettuccine	32
Riz instantané	87	Cheerios	75	Maïs soufflé faible en gras	55	Spaghetti	41	Haricots	31
Pommes de terre au four	84	Bagel	72	Orange	44	Pomme	38	Pamplemousse	25
Cornflakes	84	Raisins	64	All-Bran	43	Tomate	38	Yogourt maigre et sans sucre	14

Le schéma de la page suivante illustre l'effet du sucre sur le taux de glucose dans la circulation sanguine par rapport aux haricots communs, qui ont un I. G. peu élevé. Comme vous pouvez le voir, il y a une différence considérable entre les deux. Le sucre est rapidement converti en glucose, qui se dissout dans la circulation sanguine et en augmente le taux de glucose. Il disparaît aussi rapidement, ce qui fait que le corps en demande davantage. Vous est-il déjà arrivé de manger un gros repas chinois, avec plein de riz et de nouilles, et de constater une ou deux heures après que vous aviez encore faim ? C'est parce que votre corps a rapidement converti le riz et les nouilles, des aliments à I. G. élevé, en glucose, qui est ensuite rapidement disparu de votre circulation sanguine. Il nous arrive régulièrement d'éprouver une sensation de léthargie environ une heure après un repas de restauration rapide, qui se compose généralement d'aliments à I. G. élevé. La montée de glucose suivie de l'épuisement rapide nous prive d'énergie. Alors, que faisons-nous ? Vers le milieu de l'après-midi, nous cherchons une dose de sucre, ou un en-cas, qui nous tirera de l'abattement. Quelques biscuits, ou un sac de chips entraînent une nouvelle montée de glucose qui disparaît peu de temps après, et le cercle vicieux continue. Pas étonnant que nous grignotions tous autant !

EFFET DE L'I.G. SUR LE TAUX DE SUCRE

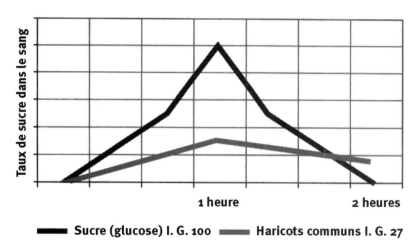

Sucre (glucose) I. G. 100 ▬▬▬ Haricots communs I. G. 27

Lorsque nous mangeons un aliment à I. G. élevé et que nous éprouvons une rapide élévation de glycémie, notre pancréas sécrète une hormone appelée l'insuline. L'insuline fait deux choses extrêmement bien. Premièrement, elle réduit le taux de glucose dans la circulation sanguine en le dirigeant vers différents tissus du corps pour qu'il soit utilisé immédiatement ou pour qu'il soit emmagasiné sous forme de graisse. C'est pourquoi le glucose disparaît aussi vite. Deuxièmement, elle inhibe la reconversion de la graisse corporelle en glucose que le corps doit éliminer. Cette caractéristique évolutionnaire nous ramène à l'époque où nos ancêtres étaient des chasseurs-cueilleurs et connaissaient des périodes de jeûne ou de famine. Lorsque la nourriture était abondante, le corps emmagasinait ses surplus sous forme de graisse qui lui permettait de tenir pendant les inévitables épisodes de famine. L'insuline était la championne de ce processus : elle contribuait à l'accumulation de la graisse, et elle empêchait sa déplétion.

Tout a changé aujourd'hui, sauf nos estomacs. Le système digestif, qui a pris des millions d'années à évoluer, serait censé s'adapter à une révolution alimentaire en un clin d'œil par comparaison. Nous n'avons plus besoin de chasser et de chercher la nourriture ; nous avons au supermarché un approvisionnement garanti en aliments transformés qui offrent une multitude de saveurs et de textures alléchantes. Non seulement consommons-nous plus de calories faciles à digérer, mais nous ne dépensons pas autant d'énergie pour trouver notre nourriture et rester au chaud, les deux principales préoccupations de nos ancêtres.

Comme l'insuline est le principal déclencheur de l'emmagasinage du glucose et la sentinelle qui protège l'intégrité des cellules adipeuses, il est crucial de la maintenir à un taux peu élevé lorsque nous essayons de maigrir, ce qui implique d'éviter les aliments à I. G. élevé. Les aliments à I. G. bas comme les pommes sont, par rapport aux aliments à I. G. élevé, comme la tortue et le lièvre. Ils se décomposent à un rythme lent et régulier dans le système digestif. Ils ne provoquent pas de montée de sucre rapide, mais, comme la tortue, ils maintiennent le cap, de sorte que nous nous sentons rassasiés plus longtemps. Par conséquent, si vous souhaitez perdre du poids, vous devez vous en tenir aux aliments à I. G. bas.

Toutefois, le faible I. G. d'un aliment ne rend pas celui-ci forcément acceptable. L'autre facteur critique qui détermine si un aliment peut nous faire maigrir est sa valeur calorigène. C'est la combinaison d'aliments à I. G. bas et pauvres en calories, c'est-à-dire faibles en sucre et en graisse, qui est la «formule magique» du régime fondé sur l'I. G. Les aliments à I. G. bas et pauvres en calories font éprouver une plus grande satiété que les aliments à I. G. élevé et riches en calories. Je vous présenterai un peu plus loin dans un diagramme complet les aliments qui font grossir et ceux qui font perdre du poids. Ne vous attendez pas à ce que les aliments à I. G. bas soient sans goût et ennuyeux! Il existe de nombreux choix délicieux et satisfaisants qui vous donneront l'impression de n'être même pas au régime.

J'ai déjà mentionné les deux principaux facteurs qui contribuent au classement des aliments selon l'I. G. : le degré de transformation qu'ils subissent avant la digestion et leur contenu en fibres. Il y a toutefois deux autres éléments importants qui inhibent la décomposition rapide des aliments dans le système digestif. Ce sont les lipides et les protéines. L'influence de ces deux facteurs peut entraîner certains résultats étonnants et déroutants. Le beurre d'arachide, par exemple, a un I .G. bas, à cause de sa teneur lipidique et protéinique élevée. De même, le lait entier a un I. G. inférieur à celui du lait écrémé, et le gâteau aux fruits a un I. G. inférieur à celui des toasts melba. Les lipides, comme les fibres, ont l'effet d'un frein sur le système digestif. En combinaison avec d'autres aliments, ils font obstacle aux sucs digestifs. Ils signalent également au cerveau que nous sommes repus et que nous n'avons pas besoin d'autres aliments. Nous savons cependant que plusieurs lipides sont néfastes pour le cœur, et ils contiennent deux fois le nombre de calories par gramme des glucides et des protéines.

EN RÉSUMÉ

1. Les aliments à I. G. bas sont plus lents à digérer, de sorte que l'impression de satiété dure plus longtemps.
2. Le maintien de l'insuline à des taux peu élevés inhibe la formation de graisses et contribue à la reconversion de graisse en énergie.
3. Pour perdre du poids, l'essentiel est de manger des aliments à I. G. bas et pauvres en calories.

Bonjour Rick,

D'abord, un gros merci !... Je suis le régime I. G. depuis huit semaines, et j'ai perdu sept kilos (15 lb). J'ai lu votre livre en une journée. Quand je pense que j'avais peiné au sein de divers clubs de régime pendant 15 ans, et que j'avais devant moi la réponse irréfutable... La première semaine, je n'arrivais pas à croire que je perdais du poids. Je n'avais pas l'impression de faire quoi que ce soit pour maigrir, et pourtant, à ma grande surprise, j'ai perdu trois kilos (6 lb) !.... Vous êtes mon héros !

Jill

Les protéines

La moitié de notre poids corporel est composée de protéines, c'est-à-dire les muscles, les organes, la peau et les cheveux. Évidemment, les protéines sont un élément essentiel de notre alimentation. Elles sont nécessaires à l'élaboration et à la réparation des tissus, et elles participent à presque toutes les réactions métaboliques.

En outre, les protéines calment beaucoup plus efficacement la faim que les glucides ou les lipides. Elles nous
font sentir rassasiés plus longtemps. C'est pourquoi vous
devriez toujours intégrer des protéines à chaque repas et
goûter. Cela vous aidera à demeurer alerte et à éprouver la
satiété. Cependant, encore une fois, le type de protéines
consommées est important. Les protéines se trouvent dans
une grande gamme de produits alimentaires, aussi bien
d'origine animale que végétale, et pas seulement dans la
viande rouge et les produits laitiers entiers, qui ont une
teneur élevée en matières grasses saturées, ou « mauvais
lipides ».

Alors quelle sorte de protéines devez-vous inclure dans
votre régime ? Choisissez les protéines faibles en matières
grasses : les coupes de viande maigre ou à faible teneur en
matières grasses, auxquelles on a enlevé les graisses visibles ;
la volaille sans peau ; le poisson frais, congelé ou en
conserve (mais pas le poisson enrobé de pâte à frire, qui a
inévitablement une teneur élevée en matières grasses) ; les
produits laitiers allégés comme le lait écrémé (croyez-le ou
non, après deux semaines il a le même goût que le lait 2 %) ;
le yogourt maigre (optez pour les versions sucrées artificiellement, parce que plusieurs fabricants augmentent le sucre
en enlevant la matière grasse) et le fromage cottage allégé ;
les œufs sous forme liquide ou les blancs d'œufs et le tofu.
À la surprise de bien des gens, la meilleure source de protéines est sans doute le modeste haricot. Les haricots sont
riches en protéines et en fibres et faibles en matières grasses,
et ils se décomposent lentement dans le système digestif, de
sorte que l'on se sent rassasié plus longtemps. On peut
également les ajouter dans les soupes et les salades pour
augmenter leur teneur en protéines et en fibres. Les noix
sont également une bonne source de protéines, et elles
contiennent des matières grasses monoinsaturées. Toutefois,

comme elles sont riches en matières grasses, il faut en restreindre la quantité.

À propos des protéines, le point important est que vous devez répartir votre apport quotidien entre tous les repas. Trop souvent, nous prenons un déjeuner rapide composé de rôties et de café, un repas dépourvu de protéines. Le repas du midi n'est parfois guère mieux : un bol de pâtes avec des légumes à la vapeur, ou une salade verte avec du pain à l'ail. Où sont les protéines ? Le biscuit, le fruit ou le muffin du goûter d'après-midi typique ne contiennent pas un gramme de protéines. En général, nous n'intégrons des protéines à notre repas que le soir, et nous consommons alors tout l'apport quotidien recommandé, et plus. Comme les protéines sont essentielles au fonctionnement du cerveau, parce qu'elles fournissent les acides aminés aux neurotransmetteurs qui envoient les messages au cerveau, il serait préférable de faire le plein de protéines plus tôt dans la journée. Cela vous rendrait l'esprit actif et alerte pour vos activités quotidiennes. Toutefois, comme je l'ai dit, la meilleure solution consiste à répartir la consommation de protéines durant la journée. Cela vous aidera à vous sentir en forme et rassasié.

Maintenant que nous savons comment fonctionnent les glucides, les lipides et les protéines dans notre système digestif et ce qui nous fait prendre du poids, servons-nous de nos connaissances pour élaborer un programme d'alimentation qui favorisera l'amaigrissement. Toutefois, il faut d'abord évaluer le nombre de kilos à perdre.

EN RÉSUMÉ

1. Intégrez des protéines à tous vos repas et goûters.
2. Mangez uniquement des protéines faibles en matières grasses, aussi bien de source animale que végétale, si possible.

Cher Rick,

Merci de m'avoir donné la possibilité d'améliorer ma vie aussi facilement. J'avais 35 ans, je pesais 160 kg (320 lb), avec des antécédents familiaux de diabète. Je savais que je contracterais inévitablement la maladie si je ne maigrissais pas... J'ai appris qu'un membre de ma famille qui vit en Australie suivait votre régime. Lorsque j'ai lu votre livre, j'ai su que ma vie allait changer... Ma femme et moi suivons le régime I. G. depuis cinq semaines, et, si je continue de maigrir à ce rythme, au mois d'août j'aurai retrouvé le poids de 84 kg (185 lb) que je pesais à l'école secondaire, ainsi qu'un IMC normal ! Ma femme perd également 2,25 kg (5 lb) par semaine. Ce n'est pas aussi extraordinaire que la transformation complète de mon alimentation. J'ai éliminé tellement de cochonneries, que je ne puis imaginer de revenir à mon ancien style de vie. Je me sens tellement plus fort. J'ai mis 16 ans à prendre tout ce poids, et il me faudra 8 mois pour le perdre. Je corrige deux années de négligence par mois. Sensationnel !

Votre plus grand admirateur,

Derek

CHAPITRE DEUX

Combien de kilos faut-il perdre ?

À une époque où les mannequins et les vedettes de la télé sont souvent d'une maigreur malsaine, il est facile d'oublier ce qu'est le poids santé. La peau, les os, les organes, les cheveux contribuent tous au poids total. Le seul élément qu'il faut réduire est l'excès d'adiposité, et c'est ce que nous devons déterminer.

De nombreuses techniques ont été conçues pour mesurer l'excès d'adiposité, de la mesure de pincées de graisse (qui peut être passablement trompeuse) aux formules et aux tableaux alambiqués qui exigent des connaissances en mathématiques avancées. La méthode traditionnelle, qui lie directement le poids à la taille selon les tables de La Métropolitaine Vie, ne dit pas combien de graisse nous avons autour de la taille, des hanches et des cuisses, et c'est ce qui nous intéresse vraiment. La meilleure méthode est donc l'indice de masse corporelle, ou IMC. J'ai inclus une table d'IMC aux pages 40 et 41, et elle est très facile à utiliser. Il vous suffit de repérer votre taille dans la colonne verticale à gauche et de suivre la table jusqu'à ce que vous atteigniez votre poids. Dans le haut de cette colonne se trouve votre IMC, qui représente une évaluation assez juste de la proportion de graisse que vous portez.

Les valeurs de l'IMC entre 25 et 29 correspondent à une surcharge pondérale, tandis que celles qui excèdent 30 indiquent l'obésité. Si votre IMC se situe entre 19 et 24, votre poids est acceptable. Comme les femmes ont en général une plus petite ossature et une plus faible masse musculaire que les hommes, elles ont intérêt à viser un IMC à l'extrémité inférieure de cet écart, tandis que les hommes devraient viser un IMC à l'extrémité supérieure. Si vous avez plus de 65 ans, je vous recommande de vous accorder 4,5 kg (10 lb) de plus pour vous protéger en cas de chute ou de longue maladie. Fondamentalement, chacun a une constitution, un métabolisme et des gènes particuliers, de sorte qu'il n'existe pas de règle absolue pour déterminer le poids idéal. La table de l'IMC est un guide, pas une loi.

Supposons que vous ayez décidé de viser un IMC de 22. Placez votre doigt sur le nombre 22 de la ligne de l'IMC, et descendez jusqu'à ce que vous atteigniez votre taille, qui est indiquée dans la colonne à l'extrême gauche. Le nombre à cette intersection correspond au poids que vous devriez peser pour atteindre l'IMC que vous visez. Prenons un exemple : Marie mesure 1,68 m (5 pi 6 po) et pèse 82 kg (180 lb). Son IMC actuel est 29, mais elle aimerait avoir un IMC de 22. Cela signifie que Marie doit perdre 20 kg (44 lb) pour ramener son IMC à 22, qui correspond à 62 kg (136 lb).

Il importe que vous sachiez également mesurer la circonférence de votre taille. Cette mesure indique encore mieux votre état de santé que votre poids. Des recherches récentes ont démontré que la graisse abdominale se comporte presque comme un organe distinct dans le corps, sauf que cet « organe » est destructeur. Il libère des protéines néfastes et des acides gras libres, ce qui augmente les risques de maladie cardiaque, d'accident vasculaire cérébral, de cancer et de diabète. Ainsi, les femmes dont le tour de taille est supérieur à 89 cm (36 po), et les hommes dont le tour de taille excède 94 cm (38 po) sont plus susceptibles de mettre leur santé en danger. En outre, les femmes dont le tour de taille est supérieur à 94 cm (38 po), et les hommes dont le tour de taille excède 101 cm (40 po) s'exposent à de graves risques de maladie cardiaque, d'accident vasculaire cérébral, de cancer et de diabète. Les médecins comparent les personnes qui ont un excès de graisse abdominale à des pommes.

Pour mesurer votre tour de taille, prenez un ruban gradué, enroulez-le autour de votre taille juste au-dessus du nombril. Ne cédez pas à la tentation de vous rentrer le ventre comme si vous alliez faire une promenade sur la plage. Restez décontracté et ne tendez pas le ruban de manière qu'il vous coupe la peau.

Les 20 kg (44 lb) que Marie doit perdre sont des kilos de graisse, son réservoir de stockage d'énergie. Pour perdre du poids, elle doit accéder à ces cellules adipeuses et les réduire. Cela me rappelle un truc bizarre auquel on a eu recours en Angleterre durant la Seconde Guerre mondiale. La partie supérieure des célèbres autobus à deux étages était convertie en réservoir de gaz naturel, qui consistait en un gros ballon de tissu. Lorsqu'il était plein, le ballon gonflé flottait plusieurs mètres au-dessus de l'autobus. Durant le trajet, le ballon se dégonflait lentement, jusqu'à ce qu'il disparaisse, arrivé à destination, où on le regonflait. C'est ainsi que je me représente notre graisse corporelle : un ballon qui se dégonfle et où s'épuise notre énergie, sauf que, dans notre cas, le ballon est autour de notre taille, de nos hanches et de nos cuisses !

INDICE DE MASSE

	NORMAL					SURCHARGE PONDÉRALE						
IMC	**19**	**20**	**21**	**22**	**23**	**24**	**25**	**26**	**27**	**28**	**29**	**30**	**31**
TAILLE					**POIDS (KILOS)**								
1,47	41,3	43,5	45,3	47,6	49,9	52,2	54,0	56,2	58,5	60,8	62,6	64,9	67,1
1,50	42,6	44,9	47,1	49,4	51,7	54,0	56,2	58,0	60,3	62,6	64,9	67,1	69,4
1,52	44,0	46,3	48,5	50,8	53,5	55,8	58,0	60,3	62,6	64,9	67,1	69,4	71,7
1,54	45,4	48,0	50,3	52,6	55,3	57,6	59,9	62,1	64.9	67,1	69,4	71,7	74,3
1,57	47,1	49,4	52,1	54,4	57,1	59,4	61,7	64,4	66,7	69,4	71,7	74,3	76,7
1,60	48,5	51,3	53,2	56,2	58,9	61,2	63,9	66,2	68,9	71,7	73,9	76,7	79,4
1,62	49,9	52,6	55,3	58,0	60,8	63,5	65,8	68,5	71,2	73,9	76,7	78,9	81,6
1,65	51,7	54,4	57,2	59,9	62,6	65,3	68,0	70,8	73,5	76,2	78,9	81,6	84,4
1,67	53,5	56,2	58,9	61,7	64,4	67,1	70,3	73,0	75,8	78,5	81,2	84,4	87,0
1,70	54,9	57,6	60,8	63,5	66,2	69,4	72,1	75,3	78,0	80,7	83,9	86,6	89,8
1,73	56,7	59,4	62,6	65,3	68,5	71,7	74,4	77,6	80,3	83,5	86,2	89,4	92,1
1,75	58,1	61,2	64,4	67,6	70,3	73,5	76,7	79,8	82,6	85,7	88,9	92,1	94,8
1,78	59,9	63,0	66,2	69,4	72,6	75,8	78,9	82,1	85,3	88,5	91,6	94,8	98,0
1,80	61,7	64,9	68,0	71,2	74,8	78,0	81,2	84,4	87,5	90,7	94,3	97,5	100,7
1,83	63,5	66,8	69,8	73,5	76,7	80,3	83,5	86,6	90,3	93,4	96,6	100,2	103,4
1,85	65,3	68,5	72,1	75,3	78,9	82,6	85,7	89,4	92,5	96,2	99,3	102,9	106,6
1,88	67,1	70,3	73,9	77,6	81,2	84,4	88,0	91,6	95,3	98,9	102,0	105,7	109,3
1,90	68,9	72,6	76,2	79,8	83,5	87,1	90,7	94,3	98,0	101,6	105,2	108,9	112,5
1,93	70,8	74,4	78,0	81,6	85,7	89,4	93,0	96,6	100,2	104,3	108,0	110,2	115,2

Source : U. S. National Heart, Lung and Blood Institute

CORPORELLE (IMC)

OBÉSITÉ MODÉRÉE   **OBÉSITÉ EXTRÊME**

32	33	34	35	36	37	38	39	40	41	42	43	44	45
POIDS (KILOS)													
69,4	71,7	73,5	75,8	78,0	80,3	82,1	84,4	86,6	88,9	91,2	93,0	95,3	97,5
71,7	73,9	76,2	78,5	80,7	83,0	85,3	87,5	89,8	92,1	94,3	96,2	98,4	100,7
73,9	76,2	78,9	81,2	83,5	85,7	88,0	90,3	92,5	94,8	97,5	99,8	102,0	104,3
76,7	78,9	81,6	83,9	86,2	88,5	91,1	93,4	95,7	98,4	100,7	103,0	105,2	107,9
79,4	81,6	84,4	86,6	88,9	91,6	93,9	96,6	98,9	101,6	103,9	106,6	108,9	111,6
81,6	84,4	86,6	89,4	92,1	94,3	97,1	99,8	102,1	104,8	107,5	109,8	112,5	115,2
84,4	87,1	89,4	92,5	94,8	97,5	100,2	103,0	105,2	108,0	110,7	113,4	116,1	118,8
87,1	89,8	92,5	95,3	98,0	100,7	103,4	106,1	108,9	111,6	114,3	117,0	119,8	122,5
89,8	92,5	95,3	98,0	101,2	103,9	106,6	109,3	112,,0	114,8	117,9	120,7	123,4	126,1
92,5	95,7	98,4	101,2	104,3	107,0	109,8	112,9	115,7	118,4	121,6	124,3	127,0	130,2
95,3	98,0	101,2	104,3	107,0	110,2	112,9	116,1	118,8	122,0	125,2	127,9	131,1	133,8
98,0	101,2	104,3	107,0	110,2	113,4	116,6	119,3	122,5	125,6	128,8	132,0	134,7	137,9
100,7	103,9	107,0	110,2	113,4	116,6	119,8	122,9	126,1	129,3	132,5	135,6	138,8	142,0
103,9	107,0	110,2	113,4	116,6	120,0	123,4	126,6	129,7	132,9	136,5	139,7	142,9	146,1
106,6	109,8	113,4	117.0	120,2	123,4	126,6	130,2	133,4	137.0	140,2	143,3	147,0	150,1
109,8	113,4	116,6	120,2	123,4	127,0	130,6	133,8	137,0	140,6	144,2	147,4	151,0	154,2
112,9	116,1	119,8	123,4	127,0	130,2	133,8	137,4	141,1	144,7	147,9	151,5	155,1	158,8
116,1	119,8	123,4	126,6	130,2	133,8	137,4	141,1	144,7	148,3	152,0	155,6	159,2	162,8
119,3	122,9	126,6	130,2	133,8	137,9	141,5	145,2	148,8	152,4	156,0	160,1	163,7	167,4

Alors, comment épuiser l'énergie des cellules adipeuses ? En consommant moins de calories que celles dont le corps a besoin. Cela oblige le corps à utiliser ses stocks de graisse pour compenser le manque. Je sais bien que personne ne veut entendre parler de calories, surtout les personnes qui ont tenté longtemps et péniblement de perdre du poids. Quoi qu'il en soit, à moins d'être favorisé d'un métabolisme et de gènes qui vous permettent de manger n'importe quoi sans prendre un gramme – et si c'est votre cas, pourquoi lisez-vous ce livre ? – vous êtes condamné, comme moi et les autres simples mortels, à l'inévitable équation. Mais ne vous découragez pas : vous pouvez facilement réduire votre consommation quotidienne de calories sans avoir faim et sans avoir à calculer leur nombre dans tout ce que vous portez à votre bouche. Tout ce que vous devez faire, c'est consommer des aliments à I. G. faible (naturellement !) et ajuster le ratio de glucides, de lipides et de protéines de votre régime.

En fin de compte, tous les aliments sont une source d'énergie pour le corps, et nous mesurons l'énergie en calories. L'adulte moyen utilise entre 1 500 et 3 000 calories par jour, selon le degré d'activité, le métabolisme et le poids du corps. Depuis des décennies, on recommande aux gens de prendre 55 % de leurs calories dans les glucides, 30 % dans les lipides et 15 % dans les protéines. Cependant, l'évolution de nos connaissances relatives à la nutrition et au fonctionnement de notre système digestif a amené de nombreux médecins et nutritionnistes à contester ce ratio. En conséquence, je recommande un modeste ajustement au ratio traditionnel. Vous devriez encore tirer 55 % de vos calories des glucides, mais je vous recommande de consommer moins de lipides et un peu plus de protéines que la proportion qui était traditionnellement proposée. Une étude récente de la Harvard School of Public Health auprès de plus de 80 0000 femmes a conclu que la consommation d'un taux de protéines modérément élevé (24 %) est bénéfique pour la santé du cœur. En outre, plus on fait d'exercice, plus on a besoin de protéines. Les athlètes ont besoin de deux fois plus de protéines que la moyenne des gens. Je ne m'attends certainement pas à ce que vous deveniez un athlète, mais je vous inciterai à faire plus d'exercice, comme je l'explique au chapitre 9.

SOURCE DE CALORIES – LE RÉGIME I. G.

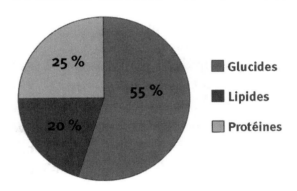

Bon, nous connaissons maintenant le ratio qui nous aidera à perdre ces kilos de trop. C'est très bien en théorie, mais qu'est-ce que cela implique en pratique ? C'est de cela qu'il est question dans le reste du présent livre : quoi manger, en quelle quantité, et quand. Je vous ai promis un programme d'alimentation simple qui reflète le monde dans lequel nous vivons, et c'est ce que je vais vous donner. Le programme est divisé en deux phases. Dans la phase I, vous allez réduire votre apport calorique, éliminer votre excédent de cellules adipeuses et maigrir jusqu'à ce que vous atteigniez le poids santé idéal. Cette phase prend de trois à six mois, et c'est vraiment une question de mathématique simple. Environ 450 grammes de lipides contiennent à peu près 3 600 calories. Pour perdre ces 450 g (1 lb) en une semaine, vous devez réduire votre apport calorique d'environ 500 calories par jour (500 x 7 jours = 3 500 calories). Donc, si vous voulez perdre 9 kg (20 lb), il vous faudra 20 semaines. Voici un exemple : Marc pèse 81 kg (180 lb), et il veut perdre 8 kg (18 lb). Pour perdre 450 g par semaine, Marc doit réduire son apport calorique de 3 500 calories par semaine. Selon ce calcul, il faudra 18 semaines à Marc pour perdre 8 kg (18 lb). Toutefois, la formule convient aux personnes qui doivent perdre environ 10 % de leur poids corporel. Si vous devez perdre plus que cela, vous serez heureux d'apprendre que vous perdrez vraisemblablement plus de kilos par semaine. Plus votre IMC est élevé, plus vous maigrirez rapidement. Les personnes dont l'IMC est 30 et plus perdent souvent en moyenne 1,3 kg (3 lb) ou plus par semaine.

Si 20 semaines vous paraissent une longue période à passer au régime, pensez au reste de votre vie. Qu'est-ce que la moitié d'une année, comparée aux très nombreuses années que vous vivrez ensuite avec un corps svelte et sain ? Il ne s'agit pas d'un régime fade – les régimes fades ne fonctionnement pas. Le régime I. G. est une route saine et infaillible vers une perte de poids permanente.

J'ai exposé cette formule mathématique pour vous aider à comprendre le régime et le résultat qu'il vous permettra d'obtenir. Ne croyez pas que vous aurez à calculer vousmême ! Tous les calculs sont intégrés au programme. Tout ce que vous avez à faire, c'est de consulter mon guide alimentaire aux pages 233 à 243. Il contient une énumération de tous les aliments que vous pouvez imaginer dans une des trois catégories basées sur les couleurs des feux de circulation. Les aliments énumérés dans la catégorie feu rouge ou « stop » sont les aliments à I. G. élevé, à haute teneur calorique. Ils comprennent les gourganes, les toasts melba et les gâteaux de riz, qui sont à éviter. Votre corps digère ces aliments tellement vite que vous avez de nouveau faim rapidement. Les aliments dans la catégorie feu jaune ou «prudence», par exemple le muesli, le maïs et les bananes, élèvent votre taux d'insuline de telle sorte que la perte de poids est moins probable, et par conséquent ils doivent aussi être évités dans la phase I. Les aliments qui vous feront perdre du poids sont énumérés dans la catégorie feu vert ou «allez-y». Les fettucine, le riz basmati, le raisin et de nombreux autres sont tous des aliments feu vert. Mangez-les, et vous maigrirez.

La phase II commence lorsque vous avez atteint l'IMC que vous visiez. À cette étape, votre apport et votre production de calories sont équilibrés, et vous pouvez commencer à manger des aliments de la catégorie feu jaune à l'occasion. Tout ce que vous faites à ce stade, c'est maintenir votre nouveau poids. Cela vous paraît simple ? Ça l'est. Alors, amorçons la phase I.

EN RÉSUMÉ

1. Fixez un objectif d'amaigrissement réaliste. Vous devriez viser un IMC de 19 à 24.

2. Dans la phase I du régime I. G., vous réduirez le nombre de calories que vous consommez en ajustant votre ratio d'apport calorique et en mangeant des aliments à faible I. G. et à faible teneur en matières grasses.

3. Lorsque vous atteindrez l'IMC que vous aviez fixé, vous commencerez la phase II du régime I. G., qui égalise le nombre de calories que vous consommez et que vous dépensez.

Cher Rick,

Avant de lire votre livre, je pesais 80 kg (177 lb), et mon médecin m'a dit de lire votre livre. Je voulais que vous sachiez que je l'ai lu trois fois… Bien que mon médecin m'ait dit de perdre 7,50 kg (17 lb), j'en ai perdu 11 (25 lb), et mon IMC est maintenant près de 22. Ce fut tout un processus d'apprentissage pour moi, et je n'arrive pas encore à croire que l'on puisse obtenir ce résultat avec une alimentation adéquate et l'exercice quotidien. Depuis, j'ai dû faire retoucher tous mes vêtements. (Les couturières devraient vous remercier aussi !)

Merci.

Jim

CHAPITRE TROIS

La phase I

Avant d'aller plus loin, j'aimerais vous proposer un petit exercice. Essayez de vous rappeler ce que vous avez mangé au cours des sept derniers jours, et remplissez les colonnes «actuel» de la grille reproduite à la page suivante. Cet exercice vous permettra de prendre conscience de la réalité et vous aidera à établir un point de départ pour l'élaboration de votre nouveau régime I. G. Plus loin, dans le livre, je vous demanderai de revenir à cette page et d'y noter ce que vous avez mangé la semaine précédente. Je crois que vous trouverez le changement très intéressant et même instructif.

| JOUR | PETIT-DÉJEUNER | | DÎNER | | SOUPER | | COLLATIONS | |
	ACTUEL	RÉGIME I. G.	ACTUEL	RÉGIME I. G.	ACTUEL	RÉGIME I. G.	ACTUEL	RÉGIME I. G.
LUNDI								
MARDI								
MERCREDI								
JEUDI								
VENDREDI								
SAMEDI								
DIMANCHE								

Maintenant que nous sommes familiers avec la théorie et la science relatives au régime I. G., il est temps de passer à la pratique ! Comme vous le savez, la phase I est la portion du programme consacrée à la perte de poids. Nous allons donc nous en tenir à la consommation d'aliments à I. G. bas et à faible teneur en lipides, que nous classons dans la catégorie feu vert. Dans la plupart des cas, vous pouvez manger autant d'aliments feu vert que vous voulez. À ce stade, il est très important de manger fréquemment. Il ne s'agit pas d'un régime de privations ! Alors, ne laissez pas votre système digestif inactif. Le proverbe « L'oisiveté est la mère de tous les vices » s'applique également à votre estomac. Lorsque votre système digestif est occupé à transformer des aliments et à fournir de l'énergie à votre cerveau, vous ne songez pas aux collations riches en calories.

Dans cette optique, ne manquez jamais le petit-déjeuner. Les gens qui sautent ce premier repas ont l'estomac vide depuis le soir jusqu'au lendemain midi, c'est-à-dire souvent pendant plus de 16 heures ! Pas étonnant qu'ils se gavent le midi et aient besoin d'une dose de sucre au milieu de l'après-midi, parce qu'ils n'ont plus d'entrain. Mangez toujours trois repas par jour – petit-déjeuner, dîner, souper – qui contiennent environ la même quantité d'énergie (de calories), et jusqu'à trois collations – une au milieu de la matinée, une au milieu de l'après-midi et une avant d'aller vous coucher. *Ne mangez jamais de sucre.* Prenez plutôt un succédané de sucre. Et comme les liquides ne semblent pas déclencher nos mécanismes de satiété, ne gaspillez pas votre allocation de calories en boissons. Buvez toujours de l'eau, du lait écrémé et d'autres boissons sans calories ou à faible teneur en calories.

Que pouvez-vous donc manger ? Parlons d'abord du petit-déjeuner. Le tableau qui suit énumère les aliments du petit-déjeuner dans les catégories des trois codes couleurs. Vous trouverez une liste exhaustive à la page 233.

Le petit-déjeuner

	ROUGE	JAUNE	VERT
PROTÉINES			
Viande et œufs	Bacon ordinaire	Bacon de dinde	Bacon de dos
	Saucisse	Œuf entier oméga	Jambon maigre
	Œuf entier ordinaire		Œufs liquides ou blancs d'œufs
Produits laitiers	Fromage	Fromage à la crème (maigre)	Babeurre
	Fromage cottage (entier ou 2 %)	Lait (1 %)	Fromage (maigre)
	Crème	Crème sure (maigre)	Fromage cottage (1 % ou maigre)
	Lait (entier ou 2 %)	Yogourt (maigre, avec sucre)	Yogourt aux fruits (sans M.G., avec succédané de sucre)
	Crème sure		Lait (écrémé)
	Yogourt (entier ou 2 %)		Lait de soya (nature, maigre)
GLUCIDES			
Céréales	Toutes les céréales froides, sauf celles énumérées dans les catégories feu jaune ou feu vert	Kashi Go Lean Crunch	All-Bran
	Granola	Kashi Good Friends	Bran buds
	Müesli (commercial)	Red River	Fibre First
		Shredded Wheat Bran	Müesli maison (voir p. 101)
			Kashi Go Lean
			Oat bran
			Gruau (flocons d'avoine à l'ancienne)

	ROUGE	JAUNE	VERT
Pains/Blé	Bagel	Pain suédois (avec fibres)	Pain complet 100 % fait de farine moulue sur pierre
	Baguette	Pain de blé entier*	Pain suédois (à haute teneur en fibres, p. ex. Wasa Fibre)*
	Biscuit		Muffin feu vert (voir p. 179-180)
	Croissant		Barre de céréales maison (voir p. 182)
	Beignet		Pain de blé entier à haute teneur en fibres (2,5 à 3 g de fibres par tranche)*
	Muffin		
	Crêpe ou gaufre		
	Pain blanc		
Fruits	Compote de pommes sucrée	Abricot** (frais et séchés)	Pomme
	Fruits en conserve dans le sirop	Banane	Baie
	Melon	Canneberges séchées**	Cerise
	La plupart des fruits séchés	Cocktail de fruits dans le jus	Pamplemousse
		Kiwi	Raisin
		Mangue	Orange
		Papaye	Pêche
		Ananas	Prune
Jus	Boissons aux fruits	Pomme (non sucré)	Mangez le fruit plutôt que de boire son jus
	Pruneau	Pamplemousse (non sucré)	
	Jus sucrés	Orange (non sucré)	
	Melon d'eau	Poire (non sucré)	

* Portions limitées (voir page 76).
** Pour la pâtisserie, vous pouvez utiliser une modeste quantité d'abricots ou de canneberges séchés.

	ROUGE	JAUNE	VERT
Légumes	Frites		La plupart des légumes
	Pomme de terre rissolée		

LIPIDES

	ROUGE	JAUNE	VERT
	Beurre	La plupart des noix	Amande*
	Margarine dure	Beurre de noix naturel	Huile de canola*
	Beurre d'arachide (ordinaire et allégé)	Beurre d'arachide naturel	Noisette*
	Huiles tropicales	Margarine molle (non hydrogénée)	Huile d'olive*
	Shortening végétal	Huiles végétales	Margarine molle (non hydrogénée, allégée)*

* Portions limitées (voir page 76).

Les jus

- Mangez toujours des fruits ou des légumes, plutôt que de boire leur jus. Le jus est un produit transformé qui se digère plus rapidement que le fruit dont il est tiré. La preuve, c'est qu'on donne généralement du jus d'orange aux diabétiques en crise insulinique et en état d'hypoglycémie, car c'est le moyen le plus rapide d'amener du glucose dans la circulation sanguine. Un verre de jus contient 2½ fois la quantité de calories d'une orange fraîche entière.

Les céréales

- Les gros flocons d'avoine ou le gruau à cuisson lente sont le meilleur choix pour deux motifs : l'avoine est d'assimilation lente, elle est bénéfique pour votre cœur et elle abaisse le cholestérol. (Le temps de cuisson n'est que de trois minutes au four à micro-ondes.) Le son d'avoine est aussi excellent.

- Parmi les céréales froides, choisissez les produits riches en fibres, ceux qui contiennent au moins 10 g de fibres par portion. La teneur en fibres est indiquée clairement sur les boîtes de céréales. Il faut rendre honneur aux fabricants de céréales qui ont été parmi les premiers à publier volontairement les valeurs nutritives.
- Les céréales à haute teneur en fibres sont un bon point de départ, auquel on peut ajouter des fruits, des noix et du yogourt.

Les produits laitiers

- Le lait écrémé est préférable. J'ai eu du mal à m'habituer au lait écrémé, aussi bien avec les céréales que comme boisson, mais j'ai persévéré. Passez par étapes du lait 2 % au 1 %, puis au lait écrémé. Maintenant, je trouve que le lait 2 % goûte la crème.
- Le yogourt est très avantageux. Mais choisissez les versions maigres qui contiennent un succédané de sucre, plutôt que du sucre. Les yogourts maigres ordinaires ont presque deux fois plus de calories que les versions contenant un succédané de sucre. (Il y a eu beaucoup de publicité négative, principalement générée par l'industrie du sucre, contre les édulcorants. Cette publicité a donné lieu à des douzaines d'études dans le monde entier, et aucune n'a démontré l'existence de risques durables pour la santé. Ces produits sont sûrs et jouent un rôle important dans le contrôle des calories. Évidemment, comme pour n'importe quel aliment, il ne faut pas s'emballer.)
- Le fromage cottage est une excellente source de protéines, et il est très nourrissant. Encore une fois, choisissez la variété 1 % ou sans matières grasses. Ajoutez des fruits frais ou des fruits à tartiner légers pour en améliorer la saveur.
- Consommez les autres produits laitiers avec modération. Évitez la plupart des fromages comme la peste ; leur

teneur élevée en matières grasses saturées va tout droit aux artères. L'industrie laitière a une grande part de responsabilité en ce qui a trait à notre santé. Le succès des massives campagnes de promotion qu'elle consacre au fromage, qui cible souvent les enfants, est répréhensible. Si vous aimez le fromage, choisissez les options sans matières grasses, ou parsemez légèrement vos plats de fromage fort, comme le stilton ou la feta, pour leur donner plus de goût.

Le pain

- Utilisez toujours du pain à 100 % de blé entier moulu sur pierre qui contient 2,5 à 3 grammes de fibres par tranche. La caractéristique « moulu sur pierre » est importante, parce que les meules de pierre broient les grains plus grossièrement que les rouleaux d'acier utilisés pour moudre la plupart de nos farines. Plus le grain est grossier, moins les fibres sont séparées, ce qui donne un I. G. plus bas.

Les œufs

- Choisissez les œufs sous forme liquide, qui contiennent moins de cholestérol et moins de matières grasses (une boîte de 250 ml = 5 œufs). Contrairement aux œufs ordinaires, qui contiennent beaucoup de cholestérol, les œufs sous forme liquide sont un merveilleux produit feu vert. Ne vous en privez pas.

Les produits à tartiner

- N'utilisez pas de beurre. Les nouvelles marques haut de gamme de margarine molle non hydrogénée sont acceptables, et les versions allégées encore plus, mais n'en consommez pas trop.
- Évitez toutes les confitures de fruits dont le premier ingrédient est le sucre. Tournez-vous plutôt vers les variétés

«double fruit, sans sucre ajouté». Elles ont très bon goût et contiennent remarquablement peu de calories. Elles rehaussent à merveille la saveur du gruau, des céréales à haute teneur en fibres et du fromage cottage.

Le bacon

• Je suis désolé, mais le bacon ordinaire est un aliment feu rouge. Vous pouvez le remplacer par du bacon de dos, du bacon de dinde et du jambon maigre.

Le café

• Idéalement, il est préférable de boire du café décaféiné (voir page 80). N'ajoutez jamais de sucre, et utilisez uniquement du lait 1 % ou du lait écrémé.

Le dîner

Nous sommes nombreux à dîner à l'extérieur de la maison, et ce repas peut être très problématique à cause de contraintes de temps, de budget et d'accessibilité. Il existe toutefois certaines lignes directrices d'ordre pratique. (Voir la liste complète, page 233.)

	ROUGE	JAUNE	VERT
PROTÉINES			
Viande, volaille, poisson et œuf	Bœuf haché (plus de 10 % de matières grasses)	Bœuf haché (maigre)	Tous poissons et fruits de mer, frais ou congelés (sans pâte à frire ni chapelure) ou en conserve
	Hamburger	Agneau (coupes maigres)	Bœuf (coupes maigres)
	Hot-dog	Porc (coupes maigres)	Poitrine de poulet ou de dinde (sans peau)
	Pâté	Bacon de dinde	Bœuf haché (extra-maigre)
	Viandes transformées	Œuf entier oméga-3	Jambon cuit maigre
	Bacon ordinaire	Tofu	Œufs liquides (ex. : Break Free)
	Saucissons		Tofu
	Œuf entier ordinaire		Veau
Produits laitiers	Fromage	Lait (1 %)	Fromage (sans M.G.)
	Fromage cottage (entier ou 2 %)	Fromage (allégé)	Fromage cottage (1 % ou sans M.G.)
	Fromage à la crème	Yogourt (allégé avec sucre)	Yogourt aux fruits (sans M.G., avec succédané de sucre)
	Lait (entier ou 2 %)	Fromage à la crème (allégé)	Crème glacée (allégée et sans sucre ajouté)
			Lait (écrémé)

GLUCIDES

	ROUGE	JAUNE	VERT	
Pains ou blé	Bagel	Pain suédois (avec fibres, ex. : Ryvita High Fibre)	Pain complet 100 % fait de farine moulue sur pierre	
	Baguette ou croissant	Pita (blé entier)	Pain suédois (à haute teneur en fibres, p. ex. : Wasa Fibre)	
	Croûtons	Tortillas (blé entier)	Pâtes* (fettuccine, spaghetti, penne, vermicelle, linguine, macaroni)	
	Gâteau ou biscuit	Pain complet*	Riz (basmati, sauvage, brun, à grains longs)	
	Pains à hamburgers ou à hot-dogs		Pain de blé entier à haute teneur en fibres (2½-3 g de fibres par tranche)*	
	Macaronis au fromage			
	Muffin ou beignet			
	Nouilles (en conserve ou instantanées)			
	Crêpe ou gaufre			
	Pâtes fourrées au fromage ou à la viande			
	Pizza			
	Riz (à grains courts, blanc, instantané)			

	ROUGE	JAUNE	VERT	
Fruits ou légumes	Haricot à gros grains	Abricot	Pomme	Laitue
	Frites	Artichaut	Roquette	Champignon
	Melon	Banane	Asperge	Olive*
	La plupart des fruits séchés	Betterave	Avocat*	Oignon
	Panais	Maïs	Haricot (vert, jaune)	Orange (toutes variétés)

* Portions limitées (voir page 76).

ROUGE	JAUNE	VERT	
Pomme de terre (en purée ou au four)	Kiwi	Poivron	Pêche
Chou-navet	Mangue	Mûre	Poire
	Papaye	Brocoli	Pois
	Ananas	Chou de Bruxelles	Piment (fort)
	Courge	Chou	Marinades
	Patate douce (bouillie)	Carotte	Prune
	Igname	Chou-fleur	Pomme de terre nouvelle bouillie*
		Céleri	Radis
		Cerise	Framboise
		Concombre	Pois mange-tout
		Aubergine	Épinard
		Pamplemousse	Fraise
		Raisin	Tomate
		Poireau	Courgette
		Citron	

LIPIDES

ROUGE	JAUNE	VERT
Beurre	Mayonnaise (légère)	Amandes*
Margarine dure	La plupart des noix	Huile de canola*
Mayonnaise	Beurre d'arachide naturel (sans sucre ajouté)	Mayonnaise (sans M.G.)
Beurre d'arachide (ordinaire, allégé)	Vinaigrettes (légères)	Huile d'olive*
	Margarine molle (non hydrogénée)	Vinaigrettes (faible en M.G. et en sucre)
		Margarine molle (non hydrogénée, allégée)

* Portions limitées (voir page 76).

ROUGE	JAUNE	VERT
Toutes les soupes à base de crème	Poulet et nouilles en conserve	Soupe aux haricots et gros morceaux de légumes (ex. : Campbell, Healthy Request, Healthy Choice et Too Good To Be True)
Haricots noirs en conserve	Lentilles en conserve	
Pois verts en conserve	Tomates en conserve	
Purée de légumes en conserve		
Pois cassés en conserve		

Les sandwiches

- Les sandwiches sont probablement le choix de repas le plus populaire à l'heure du lunch en Amérique du Nord. En général, ils ont un I. G. élevé et contiennent beaucoup de calories. Vous n'êtes cependant pas obligé de les supprimer de votre régime. Pour diminuer leurs effets sur vos hanches, choisissez les sandwiches faits avec du pain de blé ou de céréales, le plus grumeleux possible. Puis, enlevez la tranche supérieure, et mangez le sandwich ouvert. Méfiez-vous de la mayonnaise : elle se cache souvent dans les salades d'œufs, de poulet ou de thon. Demandez toujours votre sandwich sans mayonnaise, à moins qu'elle contienne peu ou pas de matières grasses. Évitez également le beurre ou la margarine. L'hoummos ou la moutarde les remplacent avantageusement.

Les salades

- Bien que les salades se classent habituellement dans la catégorie feu vert, elles manquent souvent de protéines. Ajoutez-y des haricots, du saumon, du tofu, des morceaux de poitrine de poulet ou de dinde. Utilisez des vinaigrettes légères à faible teneur en sucre. Vous trouverez quelques suggestions de salades feu vert aux pages 107 à 109 et 141 à 147.

Les pâtes alimentaires

- Les pâtes alimentaires se classent dans la catégorie I. G. moyen, toutefois, certaines sont nettement préférables à d'autres. Retenez que les pâtes plus épaisses sont le meilleur choix. Les pâtes sont suspectes dans notre problème d'obésité, non en elles-mêmes, car elles ont un I. G. moyen et contiennent peu de lipides (bien qu'elles contiennent beaucoup de calories), mais à cause de la quantité que nous en mangeons. Les Italiens sont horrifiés devant les énormes bols de pâtes que nous consommons en plat principal. Ils ont raison de servir les pâtes en entrée ou comme plat d'accompagnement. Pour nous, les pâtes se servent avec de la sauce et un peu de protéines et constituent l'élément principal du repas.

  Lorsque nous mangeons au restaurant, il est difficile de commander une partie d'assiette de pâtes, donc il est préférable de les éviter. Si vous avez la possibilité de les commander à part, limitez la quantité à environ 180 ml (¾ de tasse) et demandez une sauce à faible teneur en matières grasses. Je vous en prie, pas d'Alfredo. Les pâtes de blé entier sont le meilleur choix.

Les soupes

- Une soupe aux haricots et aux légumes en gros morceaux, suivie de poisson ou de poulet, est idéale pour le lunch. Méfiez-vous des soupes à base de crème ou de légumes en purée ; elles contiennent beaucoup de matières grasses et sont très transformées, de sorte qu'elles appartiennent à la catégorie feu rouge à tous les titres.

Les pommes de terre

- Comme il est pratiquement impossible de trouver des pommes de terre nouvelles simplement bouillies au restaurant (voir page 70), demandez toujours à la personne qui fait le service une double portion de légumes, à la place des pommes de terre. En deux ans, j'en ai demandé une douzaine de fois, et on ne m'a jamais dit non.

Le riz

• Mangez seulement du riz basmati, du riz brun, du riz sauvage ou du riz à grains longs, et la quantité ne devrait jamais excéder un quart de votre assiette. Évitez le riz glutineux et collant.

Le dessert

• Le yogourt sans matières grasses et contenant un succédané de sucre est sensationnel. Mangez toujours des fruits. Au bureau, j'ai toujours quelques pommes, poires, pêches et du raisin, selon la saison. Évitez presque tous les autres desserts.

La restauration rapide

• À la question : «Devrais-je fréquenter les comptoirs de restauration rapide à l'heure du lunch ?», la réponse est simple : NON. À quelques exceptions près, les repas de restauration rapide sont pleins de matières grasses saturées et de calories, et les fibres s'y font extrêmement rares. Par exemple, un hamburger d'une centaine de grammes de viande avec du fromage contient près de 500 calories et plus de la moitié de votre ration de matières grasses de la journée. Même les muffins aux carottes sont bourrés de calories et de matières grasses. Le simple fait de vous trouver en présence de ces alléchants hamburgers, frites et laits fouettés amplifie vos difficultés, alors tenez-vous-en le plus loin possible. Je vous garantis qu'après quelques mois de régime I. G., le concept même de restauration rapide vous répugnera. Le visage collé à la vitrine d'un restaurant McDonald's, vous observerez avec étonnement ce que les poids lourds accumulent directement dans leurs hanches et leur tour de taille. Ç'aurait pu être vous.

Si votre choix est limité, voici comment pour pourrez circuler avec succès dans ce champ de mines gastronomique.

Les salades : l'introduction des salades dans les chaînes de restauration rapide comme McDonald's est un bon point en faveur de l'industrie. Elles représentent une option acceptable, à la condition que vous n'utilisiez pas tout le contenant de vinaigrette, qui peut doubler le contenu calorique du repas. Choisissez les vinaigrettes légères, et contentez-vous de la moitié du contenant. Évitez les salades César.

Les sous-marins : on peut féliciter la chaîne Subway pour avoir montré la voie à l'industrie de la restauration rapide. Ses restaurants offrent une grande variété de sous-marins à faible teneur en matières grasses. Demandez le pain de blé entier, et évitez le fromage et la mayonnaise, à moins qu'ils contiennent peu de matières grasses. Ensuite, mangez le sandwich ouvert. Attention : évitez les wraps Atkins de Subway à faible teneur en glucides : ils sont remplis de matières grasses et de calories.

Les hamburgers : enlevez la portion supérieure du pain, et ne commandez pas de fromage ou de bacon. Tenez-vous-en au plus simple possible.

Les frites : EN AUCUN CAS. Une portion de frites moyenne chez McDonald's contient 17 grammes de matières grasses (généralement saturées), environ 50 % de votre allocation quotidienne totale.

Les laits fouettés : EN AUCUN CAS. Les taux de matières grasses saturées et de calories sont stupéfiants.

Les roulés : le roulé est une solution de remplacement populaire du sandwich traditionnel. Demandez la tortilla de blé entier et évitez le fromage.

La pizza : la pizza est de catégorie feu rouge à cause de sa croûte à I. G. élevé et à la quantité phénoménale de matières grasses saturées que contiennent ses traditionnelles garnitures à base de fromage. Si vous avez la chance de connaître un restaurant qui prépare la pizza sur mesure, demandez la croûte supermince de blé entier, de la sauce tomate, beaucoup de légumes, des herbes fraîches et quelques tranches de poitrine de poulet (*sans* fromage). Vous pouvez également préparer une pizza maison avec du pain pita de blé entier fendu (demi-épaisseur) en guise de croûte.

Le poisson : c'est un excellent choix, pourvu qu'il n'y ait pas de pâte à frire ou de chapelure.

Les mets chinois : il y a deux choses à surveiller dans la cuisine chinoise : le riz et les sauces, surtout celles qui sont sucrées, car elles contiennent beaucoup de sucre. Le riz est généralement problématique, parce que la plupart des restaurants utilisent un riz glutineux à I. G. élevé, dont les grains ont tendance à coller. Si vous avez la certitude que le riz est soit du basmati, soit à grains longs et qu'il ne colle pas, alors allez-y, mais limitez la quantité au quart de votre assiette.

Les mets mexicains : outre le fait qu'ils contiennent des quantités inacceptables de matières grasses, généralement saturées, la plupart des plats mexicains sont extrêmement salés. Plusieurs plats contiennent plus de la moitié du sel dont vous avez besoin pour la journée! Les taux de sel excessifs font augmenter la tension artérielle, ce qui peut causer des attaques cardiaques et des accidents vasculaires cérébraux.

Les collations

Puisqu'il est mauvais de laisser l'estomac vide, les collations sont un élément important du régime I. G. Je crains cependant que vous ne deviez éviter les choix habituels, comme les muffins, les biscuits et les croustilles, qui ont tous un I. G. élevé et contiennent énormément de calories. Deux heures après les avoir consommés, vous aurez quelques cellules adipeuses de plus, et vous aurez encore faim. Ces aliments n'en valent tout simplement pas la peine.

Les collations de la phase I comprennent des fruits, du yogourt sans matières grasses contenant un succédané de sucre, du fromage cottage 1 % et des légumes crus. Vous aurez peut-être envie d'explorer le monde des barres alimentaires. Évitez les barres sucrées qui contiennent beaucoup de glucides et de calories, au profit de celles qui offrent un ratio plus équilibré de glucides, de lipides et de protéines. La moitié d'une barre Balance ou Zone fait une excellente collation, de même que les barres dont le poids se situe entre 50 et 65 grammes et qui contiennent environ 200 calories. Examinez soigneusement les étiquettes.

Les muffins et barres de céréales à I. G. bas que vous préparerez vous-mêmes (les recettes se trouvent au chapitre 8) constituent d'excellentes collations. Vous pouvez les congeler et les réchauffer au four à micro-ondes.

COLLATIONS ROUGE	JAUNE	VERT
Bagel	Banane	Amande**
Bonbon	Chocolat noir (70 % de cacao)	Compote de pommes (non sucrée)
Biscuit	Crème glacée (allégée)	Pêche ou poire en conserve (dans le jus ou l'eau)
Craquelin	La plupart des noix**	Fromage cottage (1 % ou sans M.G.)
Beignet	Maïs éclaté (à l'air)	Fromage très faible en M.G. (ex. : La Vache qui rit allégé, Boursin allégé)
Gélatine aromatisée (toutes les variétés)		Yogourt aux fruits (sans M.G. avec succédané de sucre)
Frites		Barre alimentaire*
Crème glacée		Muffin feu vert (voir p. 179-180)
Muffin (du commerce)		Noisette**
Maïs éclaté (ordinaire)		Biscuit maison (voir p. 185-189)
Croustille		Barre de céréales maison (voir p. 182)
Bretzel		Crème glacée (allégée et sans sucre ajouté, ex. : Breyers Premium Fat Free, Legend de Nestlé sans sucre ajouté)
Flan		
Raisin sec		
Galette de riz		
Sorbet		
Croustille au maïs		Fruits frais
Mélange montagnard		Légumes frais
Pain blanc		Marinade
		Pépins de citrouille
		Bonbon dur sans sucre
		Graines de tournesol

* Barre de 180 à 225 calories, comme les barres Zone ou Balance ; portion : ½ barre.
** Portions limitées (voir page 76).

Le souper

Traditionnellement, le souper est le principal repas de la journée – et celui où nous réduisons notre régime en miettes. Contrairement au petit-déjeuner et au dîner, le souper n'est généralement pas assujetti à des contraintes de temps et d'accessibilité (bien que la conciliation de nos horaires avec ceux de nos enfants puisse parfois rendre cette affirmation théorique).

Le dîner nord-américain typique comprend trois éléments : de la viande ou du poisson ; des pommes de terre, des pâtes alimentaires ou du riz ; et des légumes. La combinaison de ces aliments fournit un mélange de glucides, de protéines et de lipides, de même que d'autres minéraux et vitamines essentiels à notre santé.

(Vous trouverez une liste exhaustive à la page 233.)

	ROUGE	JAUNE	VERT
PROTÉINES			
Viande, volaille, poisson et œuf	Poissons et fruits de mer panés	Bœuf haché maigre	Tous poissons et fruits de mer, frais ou congelés (sans pâte à frire ni chapelure) ou en conserve
	Poisson en conserve dans l'huile		
	Bœuf haché (plus de 10 % de matières grasses)	Agneau (coupes maigres)	Bœuf (coupes maigres)
	Hamburger	Porc (coupes maigres)	Poitrine de poulet (sans peau)
	Hot-dog	Œuf entier oméga-3	Bœuf haché (extra-maigre)
	Viandes transformées		Jambon cuit maigre
	Saucisson		Œufs liquides (pauvres en cholestérol)
	Sushi		Poitrine de dinde (sans peau)
	Œuf entier ordinaire		Veau
Produits laitiers	Fromage	Fromage (allégé)	Fromage (sans M.G.)

ROUGE	JAUNE	VERT
Fromage cottage (entier ou 2 %)	Lait (1 %)	Fromage cottage (1 % ou sans M.G.)
Lait (entier ou 2 %)	Crème sure (allégée)	Yogourt aux fruits (sans M.G., avec édulcorant)
Crème sure	Yogourt (faible en M.G.)	Lait (écrémé)
Yogourt (entier ou 2 %)		Lait de soya (nature, faible en M.G.)

GLUCIDES

	ROUGE	JAUNE	VERT
Pains ou blé	Bagel	Pita (blé entier)	Pain complet 100 % fait de farine moulue sur pierre
	Baguette ou croissant	Pain complet*	Pâtes* (fettuccine, spaghetti, penne, vermicelle, linguine, macaroni)
	Gâteau ou biscuit		
	Macaronis au fromage		
	Muffin ou beignet		
	Nouilles (en conserve ou instantanées)		Riz (basmati, sauvage, brun, à grains longs)
	Pâtes fourrées au fromage ou à la viande		Pain de blé entier à haute teneur en fibres (2,5 à 3 g de fibres par tranche)*
	Pizza		
	Riz (à grains courts, blanc, instantané)		
	Tortillas		

	ROUGE	JAUNE	VERT	
Fruits ou légumes	Féverole à gros grains	Abricot	Pomme	Laitue
	Frites	Banane	Asperge	Champignon
	Melon	Betterave	Roquette	Olive*
	La plupart des fruits séchés	Maïs	Haricot (vert ou jaune)	Oignon

* Portions limitées (voir page 76).

ROUGE	JAUNE	VERT	
Pomme de terre (en purée ou cuite au four)	Kiwi	Poivron	Orange (toutes variétés)
	Mangue	Mûre	Pêche
	Papaye	Brocoli	Poire
	Ananas	Chou de Bruxelles	Pois
	Grenade	Chou	Piment (fort)
	Pommes de terre (bouillies)	Carotte	Marinades
	Courge	Chou-fleur	Prune
	Patate douce	Céleri	Pomme de terre nouvelle bouillie
	Igname	Cerise	Radis
		Concombre	Framboise
		Aubergine	Pois mange-tout
		Pamplemousse	Épinard
		Raisin	Fraise
		Poireau	Tomate
		Citron	Courgette
ROUGE	**JAUNE**	**VERT**	

LIPIDES

ROUGE	JAUNE	VERT
Beurre	Huile de maïs	Amande*
Margarine dure	Mayonnaise (légère)	Huile de canola*
Mayonnaise	La plupart des noix	Mayonnaise (sans M.G.)
Beurre d'arachide (ordinaire, allégé)	Vinaigrettes (légères)	Huile d'olive*
Vinaigrettes (ordinaires)	Margarine molle (non hydrogénée)	Pistache*
Huiles tropicales	Huiles végétales	

* Portions limitées (voir page 76).

ROUGE	JAUNE	VERT
Shortening végétal	Noix	Vinaigrettes (faible en M.G. et en sucre)
		Margarine molle (non hydrogénée, allégée)

SOUPES

ROUGE	JAUNE	VERT
Toutes les soupes à base de crème	Poulet et nouilles en conserve	Soupe aux haricots et gros morceaux de légumes (ex. : Campbell, Healthy Request, Healthy Choice et Too Good To Be True)
Haricots noirs en conserve	Lentilles en conserve	
Pois verts en conserve	Tomates en conserve	
Purée de légumes en conserve		
Pois cassés en conserve		Soupes maison avec des ingrédients feu vert

La viande ou le poisson

- La plupart des viandes contiennent des matières grasses saturées (mauvais gras). C'est pourquoi il est important d'acheter des coupes maigres ou d'enlever tout le gras visible. Une longe de bœuf parée de seulement 0,6 cm (¼ po) de gras peut contenir deux fois plus de lipides qu'un bifteck maigre. Évidemment, certaines coupes de viande contiennent par définition plus de matières grasses que d'autres. Consultez le guide alimentaire complet du régime I. G. à la page 233.
- Les poitrines de poulet et de dinde sont d'excellents choix *pourvu que la peau soit enlevée.*
- Le poisson et les fruits de mer sont aussi d'excellents choix, sauf s'ils sont apprêtés avec de la chapelure. Bien que certains poissons, comme le saumon, aient une teneur en huile relativement élevée, cette huile est

extrêmement bénéfique pour la santé, surtout celle du cœur.

- Du point de vue de la quantité, la meilleure mesure pour la viande ou le poisson est la paume de la main. La portion devrait approximativement correspondre à la taille de la paume de votre main et avoir environ la même épaisseur. Le jeu de cartes est un autre bon élément de comparaison ; du moins d'après mes amis dont les paumes sont petites.

Les pommes de terre

- L'I. G. des pommes de terre varie de moyen à élevé, selon la sorte et le mode de cuisson et de service. Les pommes de terre nouvelles bouillies, servies entières ou en tranches, appartiennent à la plus faible catégorie d'I. G., et la quantité ne devrait pas excéder deux ou trois par portion. (L'I. G. des pommes de terre nouvelles bouillies est 56, tandis que celui des pommes de terre au four est 84.) Toutes les autres versions sont strictement feu rouge.

Les pâtes alimentaires

- Comme nous l'avons déjà mentionné, la taille de la portion est cruciale. Les pâtes alimentaires devraient être un plat d'accompagnement, et non former la base du repas. En d'autres termes, elles ne devraient occuper que le quart de votre assiette. Les pâtes de blé entier, que l'on vend dans la plupart des magasins d'aliments naturels et de plus en plus dans les supermarchés, sont préférables. Comptez 35 grammes de pâtes sèches, ou 180 ml (¾ de tasse) de pâtes cuites, par portion.

Le riz

- L'I. G. du riz varie considérablement. Il faut privilégier le riz basmati, sauvage, brun ou à grains longs. Ces riz contiennent un amidon, l'amylose, qui se décompose plus lentement que celui des autres riz. Ici encore, la taille de la portion est cruciale. Calculez trois cuillerées à soupe de riz sec par portion, ou 160 ml (⅔ tasse) de riz cuit.

Les légumes ou les salades

- Cette fois, vous n'avez pas à vous retenir. Vous pouvez manger autant de légumes et de salade que vous voulez. En fait, ceux-ci devraient être le centre de votre repas. Pratiquement tous les légumes conviennent. Essayez d'accompagner tous les jours votre dîner d'une salade.
- Attention aux vinaigrettes. Utilisez seulement les vinaigrettes légères ou sans matières grasses, et vérifiez la teneur en sucre, parce que les fabricants ont tendance à augmenter d'autant la quantité de sucre qu'ils réduisent la proportion de matières grasses.
- Servez deux ou trois variétés de légumes au dîner. Les sacs de légumes mélangés congelés non assaisonnés sont pratiques et peu coûteux.

Les desserts

- Les desserts sont l'un des aspects les plus problématiques de tous les programmes de contrôle du poids. Ils ont généralement très bon goût, mais ils contiennent beaucoup de sucre et de matières grasses et favorisent nettement l'éveil du sentiment de culpabilité! À titre de dernier service dans la plupart des repas, les desserts tombent souvent dans la catégorie «Devrais-je ou ne devrais-je pas?»

  La bonne nouvelle, c'est que les desserts doivent faire partie de votre repas. Il existe une grande variété d'options à I. G. bas et pauvres en calories qui sont très savoureuses et bonnes pour la santé. Presque tous les fruits sont acceptables (toutefois, éviter les bananes et les raisins secs pendant quelque temps), et il existe de nombreux produits laitiers contenant peu de matières grasses et de sucre, comme le yogourt et la crème glacée. Vous ne mangerez pas de tarte aux pommes et crème glacée, mais vous pourrez vous régaler de compote de pommes avec du yogourt, ou même d'une meringue avec des baies fraîches ou congelées.

Les portions

Pour que le régime I. G. soit efficace, il est essentiel de comprendre la notion de portion. Comme la majorité des fruits et des légumes ont un I. G. bas et contiennent peu de calories et de matières grasses, ils constituent le plus important groupe alimentaire du régime I. G. Toutefois, selon les gouvernements du Canada et des États-Unis, ce sont les produits céréaliers qui devraient être le groupe alimentaire le plus important. Si vous examinez la pyramide des aliments du ministère de l'Agriculture des États-Unis à la page suivante, vous constaterez que les produits céréaliers y occupent la plus grande place, suivis des fruits et des légumes. En donnant la priorité aux produits céréaliers, les gouvernements et de nombreux nutritionnistes favorisent la principale cause de l'embonpoint et de l'obésité. La Clinique Mayo a récemment modifié sa pyramide du poids santé pour promouvoir les légumes et les fruits, plutôt que les produits céréaliers, comme base d'une saine alimentation, et c'est exactement ce que recommande le régime I. G. (Voir la pyramide alimentaire du régime I. G. à la page 74.)

Cher Rick,

Je voulais seulement vous dire que ma vie a changé le jour où j'ai lu votre article dans *Woman's World*. Je suis le régime I. G. depuis 10 semaines, et j'ai perdu 18 kg (40 lb)! J'adore ce programme, qui ne me complique pas la vie. Mon mari et moi pouvons toujours aller au restaurant, et nous n'avons pas l'impression d'être privés de nourriture ou de plaisir! Merci pour tout ce que vous avez fait pour moi.

Merrill

PYRAMIDE DES ALIMENTS DU MINISTÈRE DE L'AGRICULTURE DES ÉTATS-UNIS

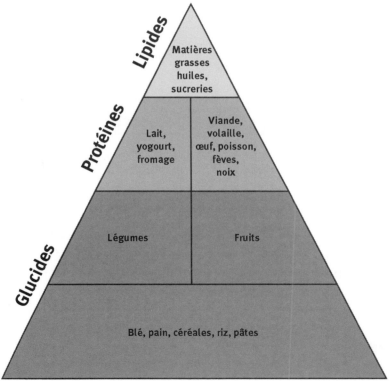

Source: ministère de l'Agriculture des États-Unis

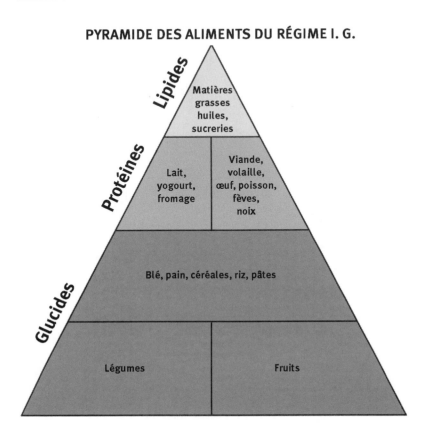

PYRAMIDE DES ALIMENTS DU RÉGIME I. G.

Pour transposer la pyramide dans votre assiette au souper, servez une quantité de légumes suffisante pour couvrir 50 % de l'assiette, assez de viande, de volaille ou de poisson pour en couvrir 25 %, et assez de riz, de pâtes ou de pommes de terre pour couvrir les 25 % qui restent. Ne contournez pas la règle en empilant les aliments trop haut!

Le schéma de gauche ci-dessous illustre la manière dont nous nous représentons traditionnellement notre assiette du souper, et celui de droite illustre la version plus saine du régime I. G.

La taille des portions

Certains nutritionnistes soutiennent que les problèmes de poids actuels s'expliquent autant par la taille des portions que par le type d'aliments que nous mangeons. Cette affirmation a du vrai. La mentalité «Big Mac» a imprégné notre manière de penser. Quand c'est si bon, pourquoi nous contenter d'une seule portion?

La sortie au cinéma incarne l'essence du problème. Les contenants de *pop-corn*, de boissons gazeuses et de bonbons sont offerts en format géant seulement. L'industrie de la restauration rapide, en particulier, a compris que nous souhaitons nous faire plaisir lorsque nous mangeons à l'extérieur, ce qui nous pousse à commander de généreuses portions, et elle fait tout ce qu'elle peut pour encourager cette tendance. Les aliments sont des produits relativement peu coûteux, surtout lorsqu'ils contiennent beaucoup de glucides simples à prix modeste, comme le sucre et la farine. C'est pourquoi les commerces de restauration rapide peuvent offrir de plus grosses portions à un coût très marginal.

Comme dans la plupart des domaines, fiez-vous à votre bon sens. Je vous ai promis un programme simple qui ne vous obligerait pas à compter des calories ou des glucides, ou à utiliser des formules complexes pour mesurer les aliments. S'il est une chose qui puisse vous inciter à abandonner un programme d'amaigrissement, c'est l'utilisation de formules difficiles de poids et mesures. Par conséquent, la plupart des tailles de portion recommandées dans le présent livre sont des moyennes. Une certaine latitude est allouée dans un sens ou dans l'autre, selon l'écart de votre poids par rapport à la moyenne générale – de 56,5 à 68 kg (125 à 150 lb) pour les femmes, et de 63,5 à 80 kg (140 à 175 lb) pour les hommes. Réduisez la taille des portions si votre poids se situe sous la moyenne, et augmentez-la s'il l'excède. Mais pour réussir et faire en sorte que les choses ne se compliquent pas, vous devrez faire votre part en vous servant de votre jugement. Comme dans le cas des jurys et de la démocratie, le bon sens des gens ne doit pas être sous-estimé !

Bien que vous puissiez en général manger autant d'aliments feu vert que vous voulez, il existe quelques exceptions énumérées ci-après.

Les portions feu vert

Avocat	¼ du fruit
Pain suédois (haute teneur en fibres)	2
Pains feu vert (qui contiennent au moins 2,5 à 3 g de fibres par tranche)	1 tranche
Céréales feu vert	125 ml (½ tasse)
Noix feu vert	8 à 10
Margarine (non hydrogénée, allégée)	10 ml (2 c. à thé)
Viande, poisson, volaille	110 g (environ 3½ oz ou la taille d'un paquet de cartes)
Huile d'olive/de canola	5 ml (1 c. à thé)
Olives	4 à 5
Pâtes cuites	180 ml (¾ tasse)
Pommes de terre (nouvelles bouillies)	2 à 3
Riz cuit (basmati, brun, à grains longs)	160 ml (⅔ tasse)
PHASE I	
Chocolat (70 % de cacao)	2 carrés
Vin rouge	1 verre de 140 ml

La famille

On me demande souvent si le régime I. G. convient à tous les membres de la famille, y compris les enfants. La réponse est oui. La phase II est un régime alimentaire sain pour tout le monde, même pour les personnes qui n'ont pas besoin de maigrir. La phase I est recommandable pour quiconque veut perdre du poids. Si vous pensez que votre enfant a un surplus de poids, il est vital que votre médecin vous le confirme. Il arrive souvent que les enfants prennent du poids avant une poussée de croissance, et vous n'avez pas à vous en inquiéter. Toutefois, l'obésité infantile a triplé au Canada au cours des 25 dernières années. Il est donc important que les enfants prennent de bonnes habitudes alimentaires. Les enfants devraient toujours prendre un petit-déjeuner nourrissant (sans céréales sucrées), et manger des aliments des catégories feu vert et feu jaune au dîner, au souper et dans leurs collations. Les fruits frais, les légumes, le poulet, le poisson, le yogourt, le pain de blé entier, les pâtes alimentaires, le gruau et les noix sont tous des aliments qui plaisent aux enfants et répondent à leurs besoins nutritionnels. N'oubliez pas que les enfants en croissance ont besoin de suffisamment de lipides dans leur alimentation, plus précisément des bons lipides qui se trouvent dans les noix, le poisson et les huiles végétales.

Si votre médecin juge aussi que votre enfant a un surplus de poids, habituez doucement ce dernier au régime alimentaire de la phase I. N'insistez pas trop sur la perte de poids ; incitez-le simplement à choisir de manger des aliments sains. Et permettez-lui quelques gâteries pour les occasions spéciales comme les anniversaires et l'Halloween.

Les végétariens

J'ai été étonné du nombre de végétariens qui m'ont écrit pour me demander si le régime I. G. était adéquat pour eux. La plupart des végétariens que je connais n'ont pas besoin de maigrir. Toutefois, si c'est votre cas, le régime I. G. est certainement le programme qui vous convient. Il vous suffit de continuer à remplacer les protéines animales par des protéines végétales, comme vous le faisiez déjà. Cependant, comme la plupart des sources de protéines végétales, telles que les fèves, sont enrobées de fibres, il est possible que votre système digestif n'en tire pas l'avantage protéinique maximal. Alors, essayez de les compléter avec des stimulants protéiniques faciles à digérer, comme le tofu et les protéines de soya en poudre.

Vous trouverez plusieurs recettes végétariennes au chapitre 8, ainsi que des suggestions pour convertir certaines recettes à base de viande en recettes végétariennes.

Les boissons

Le corps est composé à 70 % d'eau, il n'est donc pas étonnant que la consommation de liquides soit un élément important de n'importe quel programme d'amaigrissement. La plupart des diététistes recommandent huit verres de liquide par jour. Cela me paraît un peu élevé. Chaque fois que je m'efforce consciemment de respecter cette recommandation, je cours aux toilettes toutes les deux heures !

Si vous vous mettez à boire huit verres de liquide, vous en consommerez en réalité beaucoup plus que cela. En fait, nous consommons une grande quantité de liquide sans en avoir conscience. Additionnez les autres liquides que vous consommez, comme le lait dans les céréales et les boissons

gazeuses, avec l'eau qui constitue une proportion importante de la plupart des fruits et légumes, et vous finirez par
en absorber plusieurs tasses par jour sans même vous en
rendre compte. *La règle pratique est donc la suivante : buvez au
moins un verre d'eau avec chacun de vos trois repas principaux et
avec chaque collation.*

Maintenant, que faut-il boire ?

L'eau

Le choix le plus simple et le moins coûteux est l'eau naturelle. Essayez de boire un verre de 250 ml d'eau avant
chaque repas et collation, et cela, pour deux motifs. Premièrement, en remplissant partiellement votre estomac de
liquide avant le repas, vous vous sentirez rassasié plus rapidement, et vous n'éprouverez pas la tentation de trop
manger. Deuxièmement, vous n'aurez pas envie de «faire
descendre» vos aliments avant de les avoir suffisamment
mastiqués, ce qui nuit à la digestion.

Les boissons gazeuses

Si l'eau est trop fade pour vous, buvez des boissons
gazeuses sans sucre, et de préférence également sans caféine
(voir la rubrique «Le café», ci-dessous). Souvenez-vous que
le sucre dans une boisson est moins satisfaisant que la
quantité équivalente dans les aliments, alors ne gaspillez pas
votre ration calorique.

Le lait écrémé

La boisson que je préfère est le lait écrémé, du moins au
petit-déjeuner et au dîner. C'est un aliment feu vert idéal, et
comme le dîner est souvent pauvre en protéines, boire du
lait écrémé est un bon moyen de corriger cette lacune.

Le café

Le principal problème du café, c'est la caféine. La caféine stimule la production d'insuline, qui aiguise l'appétit. Alors, essayez de restreindre votre consommation de caféine en buvant seulement une tasse de café par jour. Vous pouvez opter pour le café décaféiné, ce qui n'est pas si difficile, compte tenu des délicieuses variétés de cafés décaféinés qui existent aujourd'hui.

   À titre d'expérience, j'ai demandé à un groupe de convives s'ils préféraient le café ordinaire ou le décaféiné. Les réponses se sont divisées en parts égales. J'ai ensuite servi du café décaféiné à tout le monde (je fais ici une « promo » pour Starbucks), et je leur ai demandé leurs impressions. Les personnes qui avaient demandé du café avec caféine se sont montrées plus enthousiastes que les mordus de café décaféiné. C.Q.F.D. !

Le thé

Le thé contient beaucoup moins de caféine que le café. Les thés noirs et verts ont également des propriétés antioxydantes qui semblent avoir un effet bénéfique sur la santé du cœur. En fait, les quantités de flavonoïdes (antioxydants) sont plus élevées dans le thé que dans tous les légumes testés. Deux tasses de thé contiennent la même quantité d'antioxydants que sept tasses de jus d'orange ou 20 tasses de jus de pomme. Ma mère de 93 ans et ses copines buveuses de thé ont peut-être découvert quelque chose.

   Donc le thé est bon, bu avec modération. Si vous cherchez d'autres sortes de thés complètement dépourvus de caféine, il y a eu une explosion de variétés de thés aux herbes ou à saveur de fruit. Ceux-ci ne possèdent cependant pas les caractéristiques antioxydantes du vrai thé. Pendant que j'écris ces lignes, je bois un thé à saveur de caramel anglais – délicieux! Ces thés sont très amusants et ont vraiment bon goût.

Les boissons aux fruits ou les jus de fruits

Les boissons aux fruits contiennent beaucoup de sucre et beaucoup de calories. Elles appartiennent sans l'ombre d'un doute à la catégorie feu rouge.

Les jus de fruits sont préférables, mais, comme nous l'avons déjà mentionné, il est toujours mieux de manger les fruits ou les légumes que de boire leur jus. N'oubliez pas que plus le corps travaille pour décomposer les aliments, mieux c'est. Il n'y a rien de pire qu'un estomac inactif.

L'alcool

Je suis certain que la plupart des lecteurs se sont précipités sur la présente section. À propos de l'alcool, j'ai une bonne et une mauvaise nouvelle.

La bonne nouvelle, c'est que l'alcool, consommé avec modération (nous traiterons de la modération au chapitre 7), est non seulement acceptable, mais peut même être bon pour la santé, comme vous l'apprendrez plus tard.

La mauvaise nouvelle, c'est que l'alcool en général est désastreux pour le contrôle du poids. Le corps métabolise facilement l'alcool, ce qui augmente la production d'insuline, fait chuter le taux de sucre dans le sang et amène le corps à demander plus d'alcool ou de nourriture pour accroître le taux de sucre en baisse. C'est un cercle vicieux qui peut perturber considérablement vos projets d'amaigrissement. Ce qui n'arrange rien, la plupart des boissons alcooliques regorgent de calories vides.

Donc, PAS D'ALCOOL dans la phase I.

EN RÉSUMÉ

1. Dans la phase I, mangez exclusivement des aliments de la catégorie feu vert, c'est-à-dire ceux qui contiennent peu de glucides, de graisses saturées et de calories.
2. Prenez trois repas principaux par jour, ainsi que trois collations entre les repas.
3. Buvez beaucoup d'eau ou de boissons diététiques, y compris un verre de 250 ml (1 tasse) avant ou avec chaque repas et collation. Évitez la caféine ou l'alcool jusqu'à la phase II.
4. La modération et le bon sens sont vos guides pour déterminer la taille des portions.

Cher Rick,

J'ai décidé d'essayer le régime I. G... Les premiers jours ont été difficiles – les maux de tête causés par l'arrêt de consommation de caféine sont pénibles. Mais j'ai tenu bon, et quand je n'ai plus eu de sucre dans le corps, j'ai constaté que l'état de manque diminuait considérablement. Je peux dire sincèrement que c'est le programme alimentaire le plus simple et le plus logique que j'ai suivi. Ce corps qui avait l'habitude de réclamer des biscuits et des beignets tire maintenant sa dose de sucre d'une orange ou d'un verre de boisson gazeuse sans caféine et sans sucre... Jusqu'à maintenant, j'ai perdu 9 kg (19 lb). Je me sens bien, et, pour la première fois depuis longtemps, je suis convaincue que je peux réussir!

Vicki

CHAPITRE QUATRE

À vos marques !
Prêts ? Partez !

À vos marques !

J'espère que vous avez maintenant compris les principes du régime I. G. et que vous avez la certitude que le programme sera efficace pour vous jusqu'à la fin de vos jours. Tout ce qui vous reste à faire, c'est de plonger. C'est ce que j'appelle le stade « À vos marques ! », peut-être la partie la plus déchirante du voyage.

Le meilleur conseil que je puisse vous donner vient de ma propre expérience. Je savais que je devais perdre 9 kg (20 lb) pour atteindre le poids correspondant à l'IMC de 22 que je visais. Suivant les conseils d'un ami, j'ai pris quelques livres (des livres de recettes !) et je les ai empilés sur mon pèse-personne jusqu'à ce qu'ils totalisent 9 kg (20 lb). J'ai ensuite placé les livres dans un sac à dos, et je les ai portés partout dans la maison un dimanche matin. À midi, le poids m'embêtait vraiment. Quel soulagement ai-je ressenti lorsque j'ai déposé le sac ! Je me suis donc posé la question suivante : est-ce que je veux porter ces 9 kg (20 lb) de graisse excédentaire sur moi tous les jours, ou les perdre et ressentir le sentiment de légèreté et de liberté que j'ai éprouvé lorsque j'ai déposé le sac à dos ?

Je vous invite à faire le même exercice. Déterminez combien de poids vous voulez perdre en vous servant de la grille de l'IMC aux pages 40 et 41. Assemblez quelques livres d'un poids équivalent, et portez-les sur votre dos ou votre épaule, ou autour de votre taille pendant quelques heures. N'oubliez pas qu'il s'agit de l'excédent de poids que vous portez en permanence. Pas étonnant que vous vous sentiez fatigué! C'est l'un des principaux avantages du régime I. G. : en plus d'améliorer votre apparence et de vous sentir mieux, vous redécouvrirez toute l'énergie et l'entrain que vous aviez à l'adolescence et dans la vingtaine, et que vous croyiez avoir perdus à jamais.

Prêts ?

Vous demandez-vous par quoi commencer ? Alors, je vous suggère de procéder de la manière suivante :

1. Plan de départ

Avant de faire quoi que ce soit, notez vos statistiques vitales. La mesure du progrès est un formidable élément de motivation. Vous trouverez à la page 257 une feuille de contrôle détachable, que vous laisserez dans la salle de bains et où vous noterez vos progrès hebdomadaires. Il y a deux mesures principales à prendre. La première est le poids. Pesez-vous toujours au même moment chaque jour, parce qu'un repas ou une selle peuvent fausser votre poids de près d'un kilo. Le matin, avant le petit-déjeuner, est un bon moment. L'autre mesure importante est celle du tour de taille. Prenez la mesure à l'endroit de votre taille naturelle, généralement juste au-dessus du nombril, tandis que vous êtes debout dans une attitude décontractée. Le ruban doit être tendu, mais il ne doit pas s'enfoncer dans la peau.

Notez les deux mesures sur la feuille de contrôle de la salle de bains. J'ai ajouté sur la feuille de contrôle une colonne « Commentaires », où vous pourrez noter comment vous vous sentez, ou n'importe quel événement inhabituel de la dernière semaine susceptible d'avoir influé sur vos progrès.

2. Le garde-manger

Sortez de votre garde-manger, de votre réfrigérateur et de votre congélateur tous les aliments feu rouge et feu jaune. Donnez-les à une banque alimentaire ou à vos voisins. Si les produits ne sont pas à portée de la main, vous n'aurez pas la tentation de les manger ou de les boire.

3. Les emplettes

Faites provision de produits qui ont le feu vert. Vous trouverez à la page 245 une liste d'emplettes détachable, que vous pourrez apporter à l'épicerie. Les produits feu vert accompagnés d'un astérisque doivent être utilisés avec modération durant la phase I de votre programme d'amaigrissement. Après quelques visites à l'épicerie, vous choisirez tout naturellement les bons produits.

Bien que nous ayons tenté d'énumérer une grande gamme de produits, il nous aurait été impossible de mentionner les milliers de marques offertes dans les supermarchés. C'est pourquoi vous devez vérifier les étiquettes lorsque vous avez un doute. Vous devez tenir compte de quatre chiffres :

a) Les portions : Sont-elles réalistes ? Souvent, les fabricants qui pensent aux lipides, au cholestérol ou aux calories que contient leur produit indiquent une portion si petite qu'elle n'est pas réaliste. C'est souvent le cas des céréales sucrées.

b) Les calories : N'oubliez pas que ce chiffre est basé sur la portion, qui doit être réaliste.

c) Les lipides : Vous devez rechercher un ratio de 3 g de matières grasses polyinsaturées ou monoinsaturées par gramme de matières grasses saturées. La quantité de lipides ne doit pas excéder 10 g par portion.

d) Les fibres : Comme les aliments fibreux ont un I. G. bas, il faut favoriser les produits qui contiennent de 4 à 5 g de fibres par portion.

En gros, achetez des aliments qui contiennent peu de calories, peu de matières grasses (surtout les saturées) et beaucoup de fibres. C'est la composition de tous nos aliments feu vert : ils ont un I. G. bas, une faible teneur en matières grasses saturées et contiennent peu de calories. En mangeant ces aliments, vous réduirez votre consommation de calories sans vous affamer.

Vous achèterez beaucoup plus de fruits et de légumes qu'auparavant, alors faites preuve d'audace et essayez de nouvelles variétés. Il existe une gamme fantastique de produits frais et congelés qui ne demandent qu'à être savourés !

Attention : n'allez pas faire les emplettes l'estomac vide, car vous finirez par acheter des produits qui n'ont pas leur place dans le régime I. G. !

Partez !

Maintenant que le plus difficile est passé, tout va marcher comme sur des roulettes. Ne vous étonnez pas si vous perdez plus d'un demi-kilo (1 lb) par semaine les premières semaines, pendant que votre corps s'adapte au nouveau régime. La majeure partie de ce poids sera de l'eau, pas de la graisse. N'oubliez pas que 70 % du corps est de l'eau.

Ne vous inquiétez pas si vous « trichez » un peu, lorsque vous mangez ou buvez avec des amis. C'est la vie. Bien que cela puisse repousser légèrement votre date cible, il est plus important que vous n'ayez pas l'impression de vivre dans une camisole de force. Je respecte le programme environ 90 % du temps – par choix. Le fait est que je me sens mieux et que j'ai plus d'énergie lorsque je suis le programme, et que je me sens rarement privé de quoi que ce soit. Cependant, essayez de réduire ces écarts au minimum durant la phase I ; vous pourrez vous accorder plus de latitude lorsque vous aurez atteint votre poids cible.

Si vous souhaitez avoir une preuve ou une certitude supplémentaire que votre nouveau régime alimentaire est vraiment efficace, faites le test suivant. Après huit semaines de régime I. G., oubliez toutes les règles et prenez au dîner une pizza entière toute garnie, un petit pain et une bière ou une boisson gazeuse normale. Tant que vous y êtes, finissez avec un morceau de tarte. Je vous fais grâce de la crème glacée.

C'est exactement ce que j'ai fait. Vers 15 h, j'avais du mal à rester éveillé. Je me sentais fatigué et sans énergie. Je n'avais pas prévu de manger autant, mais j'avais été entraîné dans un dîner d'adieu pour un compagnon de travail. Ma fatigue de l'après-midi (comme vous l'avez sans doute compris) était attribuable à la combinaison d'aliments à I. G. élevé (la pizza, le petit pain, la bière et la tarte), qui a rapidement fait monter mon taux de sucre. La montée d'insuline consécutive a évacué le sucre de mon sang et fait descendre mon taux de sucre précipitamment. Mon cerveau et mes muscles se sont trouvés dépourvus d'énergie, c'est-à-dire dans un état d'hypoglycémie. Rien d'étonnant à ce que j'aie eu du mal à garder les yeux ouverts.

Voici quelques conseils qui vous aideront à garder le cap, surtout lorsque votre détermination commencera à vaciller (ce qui arrive inévitablement à l'occasion) :

1. Notez vos progrès toutes les semaines. (Vous trouverez une feuille de contrôle détachable à la page 257.) Rien n'est plus motivant que le succès.

2. Prévoyez un système de récompense. Achetez-vous un petit cadeau lorsque vous atteignez un objectif de poids prédéterminé, par exemple un cadeau chaque fois que vous perdez 1,5 kg (3 lb).

3. Désignez des membres de votre famille ou des amis qui vous épauleront. Persuadez-les de participer activement à votre programme. Mieux encore, trouvez un ami qui suivra le programme avec vous, de sorte que vous puissiez vous encourager mutuellement.

4. Évitez les connaissances et les lieux susceptibles de favoriser vos anciens comportements. Vous savez ce que je veux dire !

5. Essayez de prévoir chaque semaine ce qu'un ami appelle une journée « cure ». Il s'agit d'une journée où vous respectez plus scrupuleusement votre programme. Cela vous donne des crédits d'amaigrissement supplémentaires dans lesquels vous pourrez puiser quand se produira l'inévitable rechute.

6. Abonnez-vous au bulletin *G. I. Diet* pour profiter des expériences des lecteurs et vous tenir au courant des nouveautés dans le domaine de l'alimentation et de la santé. Consultez le site www.gidiet.com

EN RÉSUMÉ

1. Faites le test du sac à dos chargé.
2. Pesez-vous et mesurez votre tour de taille, et notez les résultats.
3. Sortez de votre garde-manger, de votre réfrigérateur et de votre congélateur les aliments des catégories feu rouge et feu jaune.
4. Achetez des produits de la catégorie feu vert pour regarnir votre garde-manger, votre réfrigérateur et votre congélateur.
5. Suivez les six conseils qui précèdent le présent encadré, et n'oubliez pas de noter vos progrès.
6. *Partez !*

CHAPITRE CINQ

Le glossaire des aliments feu vert

En résumé, je vous présente ci-après les aliments feu vert les plus populaires. Une liste complète se trouve à l'annexe I.

Amandes	De toutes les noix, les amandes contiennent le plus de matières grasses monoinsaturées (bons lipides). En outre, de récentes recherches indiquent que les amandes peuvent réduire considérablement la lipoprotéine de basse densité (LDL) ou mauvais cholestérol. Elles sont aussi une excellente source de vitamine E, de fibres et de protéines. Elles rehaussent avantageusement la teneur en lipides de vos repas, surtout au petit-déjeuner ou dans les salades ou les desserts. Comme les noix contiennent beaucoup de calories, il faut les consommer avec modération.
Céréales	Mangez seulement des céréales froides de gros flocons d'avoine, de son, ou à haute teneur en fibres (10 g de fibres par portion ou plus). Bien que ces céréales ne soient pas très savoureuses, vous pouvez les agrémenter de fruits (frais, en conserve ou congelés), de yogourt maigre à saveur de fruit avec un édulcorant, ou même de fruits à tartiner. Vous pourrez ainsi changer de menu quotidiennement. Servez-vous d'un édulcorant, et non de sucre.
Crème glacée	Choisissez les variétés à faible teneur en matières grasses, sans sucre ajouté, qui contiennent de 90 à

100 calories par portion de 125 ml (½ tasse). Et tenez-vous-en à cette portion maximale, malgré la tentation !

Crème sure

La crème sure 1 % ou sans matières grasses avec un édulcorant en petite quantité remplace avantageusement la crème fouettée comme garniture à dessert. Vous pouvez également la mélanger avec des fruits à tartiner à faible teneur en sucre pour obtenir un dessert crémeux.

Édulcorants artificiels

Une quantité phénoménale de fausses informations a circulé sur les édulcorants artificiels. Elles se sont toutes révélées sans fondement. L'industrie du sucre a considéré à juste titre ces nouveaux produits comme une menace et a fait de son mieux pour les calomnier. Utilisez des édulcorants comme Égale, Splenda, Sweet'N Low et Sugar Twin pour remplacer le sucre chaque fois que vous en avez la possibilité. Si vous êtes allergique aux édulcorants, optez pour le fructose plutôt que le sucre.

Fromage cottage

Le fromage cottage 1 % ou sans matières grasses est un excellent aliment qui contient peu de lipides et beaucoup de protéines. Mangez-en avec des fruits en collation ou ajoutez-en dans vos salades.

Fromage de yogourt

Le fromage de yogourt remplace délicieusement la crème dans les desserts ou les plats principaux comme le chili (voir la recette à la page 119).

Gruau

Si vous n'avez pas mangé de gruau depuis votre enfance, c'est le moment de vous y remettre. Le gruau à gros flocons ou à l'ancienne est le petit-déjeuner de choix, et il a en outre l'avantage d'abaisser le cholestérol, ce qui est bon pour le cœur. J'ai reçu plus de courriels de personnes ravies d'avoir redécouvert le gruau, que de courriels sur n'importe quel autre aliment !

Comme collation les week-ends, je mange souvent du gruau avec de la compote de pommes non sucrée et un édulcorant. Dans ce cas, je prends 80 ml (⅓ de tasse) d'avoine.

Hamburgers   Les hamburgers sont acceptables, mais seulement lorsqu'ils sont faits de bœuf haché extramaigre contenant au plus 10 % de gras. Mélangez la viande avec un peu de son d'avoine pour réduire la proportion de viande, tout en conservant le volume. Le mieux est encore de remplacer le bœuf haché par de la poitrine de dinde ou de poulet hachée. La portion ne devrait pas excéder 115 g (4 oz) ; utilisez seulement la moitié d'un petit pain de blé entier, et mangez le hamburger ouvert.

Lait   Utilisez seulement du lait écrémé. Si vous avez du mal à vous y habituer, buvez du lait 1 %, et apprenez à vous en passer progressivement. La matière grasse que vous laisserez tomber est une (mauvaise) graisse saturée. Le lait est idéal comme collation ou complément de repas. Je bois deux verres de lait écrémé par jour, au petit-déjeuner et au dîner. Le lait de soya nature, à faible teneur en matières grasses, est une solution de remplacement formidable.

Légumineuses   S'il est un aliment dont vous ne pouvez trop manger, ce sont les légumineuses. Ces parfaits aliments feu vert contiennent beaucoup de protéines et de fibres, et ils peuvent compléter presque tous les repas. Préparez des salades de légumineuses ou ajoutez-les simplement à n'importe quelle salade. Mettez-en dans les soupes, substituez-les à la viande dans les ragoûts, ou ajoutez-en dans les pains de viande. Servez-les comme légume d'accompagnement ou pour remplacer les pommes de terre, le riz ou les pâtes. Il existe une grande variété de légumineuses en conserve et congelés.

Faites preuve de prudence en ce qui concerne les fèves au lard, parce que la sauce peut contenir beaucoup de matières grasses et de calories. Vérifiez l'étiquette, choisissez les produits à faible teneur en matières grasses, et réduisez les portions.

Les légumineuses ont une réputation bien méritée concernant la production de flatulences. Patience, votre corps s'adaptera à l'augmentation de votre consommation.

Noix

Les noix sont la principale source de « bons » lipides essentiels à la santé. Les amandes tranchées sont le meilleur choix. Ajoutez-en aux céréales, aux salades et aux desserts.

Œufs

Les blancs d'œufs ou les œufs sous forme liquide (dans un emballage de carton), comme Break Free et Omega Pro, sont de loin le meilleur choix. Dans la phase II, si vous préférez manger des œufs entiers, achetez la variété oméga-3.

Oranges

Les oranges fraîches sont excellentes comme collation, ou avec des céréales, surtout au petit-déjeuner. Un verre de jus d'orange contient deux fois et demie plus de calories qu'une orange entière, alors évitez le jus et tenez-vous-en à l'original.

Orge

L'orge complète très bien les soupes.

Pain

La plupart des pains appartiennent à la catégorie feu rouge, sauf les pains à 100 % de blé entier moulu sur pierre, et les autres pains de blé entier qui contiennent de 2,5 à 3 g de fibres par tranche. Lisez attentivement les étiquettes, parce que les fabricants aiment embrouiller les consommateurs non avertis. La plupart des pains sont faits de farine moulue au moyen de rouleaux d'acier qui éliminent l'enveloppe de son et produisent une poudre très fine idéale pour fabriquer des pâtisseries et des pains légers. Par contre, les meules de pierre broient les grains plus grossièrement et conservent une plus grande proportion de l'enveloppe de son. L'estomac digère donc le pain de blé moulu sur pierre plus lentement.

Même dans le cas du pain de blé entier moulu sur pierre, surveillez vos quantités. Mangez-en avec modération durant la phase I : pas plus d'une tranche par portion.

Pamplemousse	Le pamplemousse est l'un des aliments feu vert qui viennent en tête de liste. Mangez-en autant que vous voulez.
Pâtes alimentaires	Il y a deux règles d'or. Premièrement, ne faites pas trop cuire les pâtes ; il est important qu'elles soient *al dente* (qu'elles demeurent assez fermes sous la dent). Deuxièmement, il est essentiel que les portions soient raisonnables : les pâtes sont un accompagnement et ne devraient jamais occuper plus du quart de l'assiette. Elles ne *doivent pas* constituer la base du repas, comme c'est couramment le cas de nos jours en Amérique du Nord, avec des conséquences désastreuses pour les hanches et la taille. Les pâtes de blé entier sont préférables.
Pêches et poires	Les pêches et les poires sont fantastiques comme collation, comme dessert ou comme complément des céréales au petit-déjeuner. Vous pouvez les manger fraîches, ou en conserve dans le jus ou dans l'eau (pas dans le sirop).
Poisson et fruits de mer	Le poisson et les fruits de mer sont des aliments feu vert idéals. Ils contiennent peu de matières grasses et de cholestérol et sont une bonne source de protéines. Certains poissons d'eau froide, comme le saumon, sont également riches en oméga-3. Ne mangez jamais de poisson enrobé de pâte à frire ou de chapelure.
Pommes	Un aliment de base. Mangez des pommes fraîches comme collation ou comme dessert. La compote de pommes non sucrée est idéale avec les céréales ou avec du fromage cottage en collation.
Pommes de terre	Les pommes de terre nouvelles bouillies sont la seule forme de pommes de terre acceptable, même occasionnellement. Les pommes de terre nouvelles contiennent moins d'amidon que les autres variétés, qui ont eu la possibilité d'augmenter leur teneur en amidon. Toutes les autres formes de pommes de terre (au four, en purée ou frites) appartiennent

strictement à la catégorie feu rouge. Limitez la quantité à deux ou trois par portion.

Riz

Les valeurs d'I. G. varient considérablement selon les types de riz, et la plupart sont des aliments feu rouge. Les meilleurs riz sont le basmati ou à grains longs, que l'on trouve facilement au supermarché. Le riz brun est meilleur que le blanc. Si le riz est collant, que les grains s'attachent les uns les autres, n'en mangez pas. En outre, ne faites pas trop cuire le riz ; plus il est cuit, plus il est glutineux et plus il est inacceptable. Donc, mangez uniquement du riz basmati pas trop cuit.

Salades

Essayez de commencer chaque repas par une salade verte. En plus de bénéficier d'une importante source de fibres et d'un apport nutritionnel à I. G. bas, vous vous sentirez plus vite rassasié. La vinaigrette est un excellent accompagnement, parce que l'acide ralentit le processus digestif, ce qui réduit l'I. G. des aliments.

Soya

La poudre de protéines de soya est un moyen simple d'augmenter la teneur en protéines de n'importe quel repas. Elle est particulièrement utile au petit-déjeuner, car vous pouvez la saupoudrer sur les céréales. Achetez la variété qui contient 90 % de protéines. On l'appelle parfois « poudre de protéines de soya isolées ». Le lait de soya nature à faible teneur en matières grasses ou sans matières grasses est une boisson feu vert parfaite.

Son d'avoine

Le son d'avoine est un excellent additif à haute teneur en fibres qui peut remplacer partiellement la farine. Il est également très bon comme céréale chaude.

Soupes

Les soupes en conserve ont un I. G. plus élevé que les soupes maison, à cause de la température élevée à laquelle les variétés commerciales sont fabriquées. J'ai classé certaines marques de soupes en conserve dans la catégorie feu vert, parce qu'elles représentent des options acceptables. Les soupes maison sont encore plus feu vert.

Tablettes alimentaires	La plupart des tablettes ou barres alimentaires sont une catastrophe diététique. Elles contiennent beaucoup de glucides et de calories, mais peu de protéines. Ces tablettes procurent une dose de sucre rapide pour les personnes pressées. Quelques-unes, comme les tablettes Zone et Balance, offrent un meilleur équilibre des glucides, des protéines et des lipides. Cherchez les produits qui contiennent de 20 à 30 g de glucides, de 10 à 15 g de protéines et de 4 à 6 g de lipides. Cela équivaut à environ 220 calories par tablette. *La portion qui convient pour une collation est une demi-tablette.* Vous pourrez juger utile d'en garder une dans un tiroir de votre bureau ou votre sac à main pour vous dépanner. Il m'est arrivé, en cas d'urgence, de manger une tablette avec une pomme et un verre de lait écrémé pour le dîner, lorsqu'il m'était impossible de faire une pause convenable pour le repas. Cela peut aller dans les cas d'urgence, mais n'en prenez pas l'habitude.
Tofu	Le tofu est une excellente source de protéines à faible teneur en gras. Bien que le tofu n'ait pas beaucoup de goût lui-même, on peut l'épicer de toutes sortes de façons. Utilisez-le pour rehausser ou remplacer la viande et les fruits de mer dans les sautés, les hamburgers et les salades.
Yogourt	Le yogourt maigre à saveur de fruits, sucré avec un édulcorant, est un produit feu vert presque parfait. Il fait un goûter idéal tel quel, ou il complète avantageusement les céréales au petit-déjeuner – surtout le gruau – et les fruits au dessert. Notre réfrigérateur en contient toujours une demi-douzaine de saveurs délicieuses en grande quantité. En fait, quand je vais au supermarché, mon chariot est tellement plein de contenants de yogourt que les autres clients m'interpellent fréquemment pour me demander s'ils sont en solde.

Cher Rick,

J'ai acheté un superbe tailleur rouge en prévision de ma cinquantième réunion des anciens du secondaire. Lorsque je me suis rendu compte qu'il était un peu juste, j'ai décidé de ne pas le rapporter, mais plutôt de commencer le régime I. G. pour voir ce qui arriverait. J'ai perdu 11 kg (24 lb) depuis le mois d'avril, et je continue de maigrir. J'en suis au point de devoir faire faire des retouches à mon tailleur... Mon dessert préféré : des quartiers d'orange navel ou des framboises ou des pêches congelées saupoudrées de Splenda... Je suis fière d'avoir respecté votre régime si simple. Merci pour tout.

Sandie

CHAPITRE SIX

Quelques suggestions de repas

J'avais négligé d'inclure des recettes dans la première version de ce livre. Ma femme a lu le manuscrit et m'a dit qu'à son avis les lecteurs jugeraient utile d'y trouver quelques recettes, surtout au moment où ils commencent le régime. Comme le régime I. G. implique un changement d'habitudes alimentaires, elle pensait que le fait de proposer des recettes montrerait aux lecteurs comment adapter leurs mets favoris pour en faire des plats de la catégorie feu vert. Elle me laissait entendre que mes réticences à inclure des recettes tenaient plus à ma propre incompétence culinaire qu'à une quelconque stratégie d'apprentissage (ce qui était très juste).

Alors, poussé à l'action et sous sa supervision, j'ai décidé de proposer des recettes pour les trois repas principaux et les collations de la phase I du régime I. G. J'ai tenté d'adapter les repas que nous mangeons tous couramment, de sorte que vous n'avez pas à craindre l'inconnu. Dans ces recettes, non seulement je n'utilise que des aliments feu vert, mais j'ai réduit au minimum le recours aux matières grasses pour la cuisson. Cuisinez toujours avec des casseroles antiadhésives, qui vous permettent de n'utiliser qu'une petite quantité de matières grasses pour la cuisson des aliments. Mesurez 5 à

10 ml (1 à 2 c. à thé) d'huile d'olive ou de canola ou, encore mieux, servez-vous d'un aérosol de cuisine pour huile végétale. N'oubliez pas qu'il y a 2 000 calories dans une tasse d'huile, et que le gras de viande contient beaucoup de cholestérol. La cuisson sur le gril et la cuisson au grilloir sont d'excellents modes de cuisson des viandes, parce que le gras de la viande tombe dans le plat ou sur les briquettes.

Le fait d'éliminer le gras n'implique pas de renoncer à la saveur ou de perdre la si importante sensation du goût. Vous pouvez remplacer la crème par du yogourt, du fromage de yogourt (voir page 121) ou de la crème sure maigre. Utilisez de la mayonnaise légère dans les salades de thon ou de poulet. Vous pouvez continuer de manger du fromage, surtout ceux qui ont un goût très prononcé, *mais saupoudrez-le avec modération, uniquement pour rehausser la saveur*, plutôt que de l'utiliser comme ingrédient principal. Essayez de nouvelles épices et des vinaigres aromatisés. La salsa peut relever le goût de nombreux aliments sans ajouter de calories ou de lipides, et le gingembre donne de la vie aux plats sautés.

Le petit-déjeuner

Le premier repas de la journée est important, et le gruau est le roi des aliments du petit-déjeuner. Son I. G. est faible, il contient peu de calories, il est facile à préparer au micro-ondes et il nous rassasie pour toute la matinée. Mangez toujours des flocons d'avoine à l'ancienne, et non les gruaux minute ou instantanés, parce qu'ils ont déjà été considérablement transformés. Le corps doit travailler plus fort pour métaboliser l'avoine roulée, ce qui ralentit le processus digestif et prolonge l'impression de satiété.

Le gruau peut être varié à l'infini. Vous n'avez qu'à changer la saveur du yogourt aux fruits que vous y ajoutez, ou à le mélanger avec des petits fruits ou des fruits tranchés. Ma femme préfère manger le gruau avec du lait écrémé, de la compote de pommes non sucrée, des amandes tranchées et un édulcorant. Voici la recette de gruau que je préfère. Complétez-le avec une orange et un verre de lait écrémé, et vous aurez un petit-déjeuner délicieux qui vous soutiendra toute la matinée.

GRUAU

1 portion

125 ml (½ tasse)	flocons d'avoine à l'ancienne
250 ml (1 tasse)	eau ou lait écrémé
125 à 180 ml	yogourt 0 % M.G. aux fruits avec
(½ à ¾ tasse)	édulcorant
10 ml (2 c. à soupe)	amandes tranchées
	fruits frais

Mettre les flocons d'avoine dans un bol pour micro-ondes et couvrir d'eau ou de lait écrémé. Faire cuire l'avoine à puissance moyenne pendant 3 minutes. Incorporer le yogourt, les amandes et quelques fruits frais.

MÜESLI MAISON

2 portions

250 ml (1 tasse)	flocons d'avoine à l'ancienne
180 ml (¾ tasse)	lait écrémé
180 ml (¾ tasse)	yogourt 0 % M.G. aux fruits avec
	édulcorant
30 ml (2 c. à soupe)	amandes tranchées

180 ml (¾ tasse)   pommes ou poires en dés ou
petits fruits
édulcorant

Mettre les flocons d'avoine dans un bol, ajouter le lait, et laisser tremper au réfrigérateur toute la nuit. Ajouter le yogourt, les amandes, les fruits et l'édulcorant au goût, et bien mélanger.

PETIT-DÉJEUNER SUR LE POUCE

1 portion

250 ml (1 tasse)	fruits frais tranchés (ex. : pomme, poire ou pêche)
125 ml (½ tasse)	fromage cottage (1 % ou sans matières grasses)
125 ml (½ tasse)	son de blé, comme All Bran ou Bran Buds
30 ml (2 c. à soupe)	amandes tranchées
1 tranche	pain grillé, tartiné de 10 ml (2 c. à thé) de margarine légère et 15 ml (1 c. à soupe) de confiture double fruit à faible teneur en sucre

Mettre les fruits dans un bol, et ajouter le fromage cottage, le son de blé et les amandes. Servir le pain grillé en accompagnement.

LES ÉDULCORANTS DANS LA CUISINE

Les édulcorants Splenda, Sugar Twin et Égal peuvent remplacer le sucre. Ils sont offerts en sachets individuels, en granules pour la cuisson, sous forme liquide et en comprimés. En général, un sachet équivaut à 10 ml (2 c. à thé) de sucre au goût, mais l'intensité du goût peut varier selon la marque et la forme, alors vérifiez l'étiquette. Lorsque vous sucrez une boisson ou des céréales, fiez-vous à votre goût. Si vous utilisez un édulcorant dans la cuisson, suivez les instructions ou consultez le site Web du produit. Nous préférons Splenda, dont la mesure de volume équivaut exactement à celle du sucre, c'est-à-dire que 15 ml (1 c. à soupe) de sucre équivalent à 15 ml (1 c. à soupe) d'édulcorant.

OMELETTE DE BASE ET VARIANTES

1 portion

Les omelettes sont faciles à préparer, et on peut les varier en y ajoutant toutes sortes de légumes frais et un peu de fromage ou de viande. Vous trouverez ci-après les ingrédients pour l'omelette de base, ainsi que des suggestions pour les versions italienne, mexicaine et western. Ne vous arrêtez pas là : en vous guidant sur les proportions, vous pouvez ajouter tous les ingrédients feu vert que vous voulez. Pour compléter le repas, prenez une tasse de fruits frais et un verre de lait écrémé, ou 125 à 180 ml (½ à ¾ tasse) de yogourt à 0 % M.G. aux fruits avec un édulcorant.

	Huile végétale (de préférence huile de canola ou d'olive) en aérosol de cuisine
125 ml (½ tasse)	œufs liquides
60 ml (¼ tasse)	lait écrémé

Omelette italienne

125 ml (½ tasse)	champignons tranchés
30 g (1 oz)	mozzarella légère râpée
125 ml (½ tasse)	purée de tomates
	herbes fraîches hachées ou herbes séchées (ex. : origan ou basilic)

Omelette mexicaine

250 ml (1 tasse)	poivrons rouge et vert hachés
125 ml (½ tasse)	champignons tranchés
125 ml (½ tasse)	haricots en conserve, égouttés et rincés
	sauce piquante ou chili en poudre, à saupoudrer sur l'omelette (facultatif)

Omelette végétarienne

250 ml (1 tasse)	morceaux de brocoli
125 ml (½ tasse)	champignons tranchés
125 ml (½ tasse)	poivrons rouge et vert hachés
30 g (1 oz)	fromage de lait écrémé

Omelette western

250 ml (1 tasse)	poivrons rouge et vert hachés
1	petit oignon haché
2 tranches	bacon de dos, jambon cuit maigre ou poitrine de dos haché

piment rouge en flocons ou
piment de Cayenne, à saupoudrer
sur l'omelette (facultatif)

Préparation de l'omelette

1. Vaporiser l'huile dans une petite poêle à frire anti-adhésive, et faire chauffer à feu moyen.
2. Ajouter les champignons, les poivrons, le brocoli ou l'oignon (selon le type d'omelette que vous préparez), et faire sauter jusqu'à ce que les légumes soient tendres, environ 5 minutes. Mettre les légumes sautés dans un plat et couvrir de papier d'aluminium pour qu'ils restent chauds.
3. Battre les œufs avec le lait, et verser le mélange dans la poêle à feu moyen. Laisser cuire jusqu'à ce que les œufs commencent à figer, puis ajouter les légumes appropriés, le fromage, les herbes, les haricots ou la viande. Continuer la cuisson jusqu'à ce que les œufs soient cuits à votre goût.
4. Assaisonner au choix de sauce piquante, de chili en poudre, de flocons de piments rouges ou de piment de Cayenne, et servir.

Variante : faire des œufs brouillés en remuant les œufs pendant la cuisson et en ajoutant les autres ingrédients avant que les œufs figent.

Cher Rick,
Ce qu'il y a d'extraordinaire, à propos du régime I. G.,
c'est que je n'ai pas l'impression d'être au régime. Je
choisis des aliments que j'aime et j'essaie de nouvelles
combinaisons qui font que je me sens rassasiée et que je
ne pense pas à manger toute la journée... J'ai fait le
ménage dans mon garde-manger, et je prépare soigneusement mes listes d'épicerie. Le seul problème est que
ma famille mange tous mes aliments «particuliers».
Alors, maintenant, je prépare la même chose pour tout
le monde. Je suis même allée passer un week-end avec
des amies, et nous avons mangé au restaurant tous les
soirs. J'ai choisi des salades, et j'ai demandé une double
portion de légumes, pas de pommes de terre. Mes amies
ont eu de la peine pour moi, jusqu'à ce qu'elles voient
arriver mes plats. Elles ont été renversées. Elles ont
même dit que j'avais fait de meilleurs choix qu'elles...
J'adore ça! C'est le secret du bonheur: je perds du
poids, mais je mange de la bonne bouffe à satiété.
Beverley

Le dîner

Si vous mangez au restaurant le midi, référez-vous aux pages
56 à 64. Vous y trouverez des conseils utiles sur les restaurants, les comptoirs de mets à emporter et la restauration
rapide. Cependant, de plus en plus de gens apportent leur
lunch au travail. Cela permet de contrôler les ingrédients et
les quantités de matières grasses utilisées et d'épargner de
l'argent par la même occasion. Voici quelques recettes feu
vert que vous pourrez concocter pour le dîner au bureau. Il
vous suffira d'ajouter des fruits frais ou en conserve (dans

l'eau, pas dans le sirop) pour le dessert et de boire un verre d'eau ou de lait écrémé (préférablement). Vous vous sentirez rassasié et plein d'énergie durant tout l'après-midi.

SALADE DE LÉGUMINEUSES MÉLANGÉES

2 portions

1 boîte de 540 ml	légumineuses mélangées,
(1 boîte de 19 oz)	égouttés et rincées
½	concombre haché
1	tomate hachée
250 ml	(1 tasse)
	pâtes de blé entier cuites (petites coquilles, macaroni ou autre de forme similaire)
30 ml (2 c. à soupe)	persil frais, haché
15 ml (1 c. à soupe)	vinaigre de vin rouge
10 ml (2 c. à thé)	huile d'olive
1 ml (¼ c. à thé)	moutarde de Dijon
1	pincée de sel et de poivre noir
1	pincée d'herbes séchées (ex. : thym ou origan)

1. Mettre les légumineuses dans un grand bol, et ajouter le concombre, la tomate, les pâtes et le persil.
2. Dans un petit bol, fouetter ensemble le vinaigre, l'huile, la moutarde, le sel, le poivre et le thym. Verser le mélange sur la salade et mélanger.

SALADE GRECQUE

2 portions

500 ml (2 tasses)	laitue iceberg en morceaux
½	concombre haché
2	tomates coupées
6	olives de Kalamata
½	oignon rouge
60 ml (¼ tasse)	feta en morceaux
15 ml (1 c. à soupe)	vinaigre de vin rouge
10 ml (2 c. à thé)	huile d'olive extra-vierge
5 ml (1 c. à thé)	jus de citron frais
1 ml (¼ c. à thé)	origan séché
1	pincée de sel et de poivre noir

1. Dans un bol, mélanger la laitue, le concombre, les tomates, l'oignon rouge, les olives et les morceaux de feta.
2. Dans un petit bol, fouetter ensemble le vinaigre, l'huile, le jus de citron, l'origan, le sel et le poivre. Verser sur les légumes, et mélanger.

SALADE WALDORF AU RIZ ET AU POULET

1 portion

180 ml (¾ tasse)	riz basmati ou riz brun, cuit
1	pomme moyenne, hachée
1 ou 2	branches de céleri hachées
60 ml (¼ tasse)	noix
120 g (4 oz)	poulet cuit (voir p. 112), haché
15 ml (1 c. à soupe)	vinaigrette légère au babeurre du commerce

Mettre le riz, la pomme, le céleri, les noix et le poulet dans un bol. Verser la vinaigrette au babeurre et mélanger. Réfrigérer jusqu'au dîner et servir.

SALADE DE PÂTES : RECETTE DE BASE

1 portion

125 à 180 ml (½ à ¾ tasse)	pâtes de blé entier, cuites (spirales, coquilles ou de forme similaire)
250 ml (1 tasse)	légumes cuits, hachés (brocoli, asperges, poivrons ou oignons verts)
60 ml (¼ tasse)	sauce tomate légère ou autre sauce à faible teneur en gras pour les pâtes
120 g (4 oz)	poulet cuit (voir p. 112) haché, ou autre viande maigre (ex. : dinde hachée ou saucisson maigre au poulet)

Mettre les pâtes, les légumes, la sauce tomate et le poulet dans un bol et bien mélanger. Couvrir et réfrigérer la salade jusqu'au moment de servir. Réchauffer au micro-ondes ou servir froid.

Variante : en vous inspirant des proportions suggérées ici, vous pouvez varier à votre goût les légumes, la sauce et la source de protéines et diversifier vos salades de pâtes tous les jours.

FROMAGE COTTAGE ET FRUITS

1 portion

Parfait pour un dîner sur le pouce.

250 ml (1 tasse)	fromage cottage allégé
250 ml (1 tasse)	fruits frais coupés ou fruits en conserve dans le jus (pêches, abricots ou poires)

Mettre le fromage cottage et les fruits dans un bol en plastique muni d'un couvercle hermétique et bien mélanger. Mettre au réfrigérateur jusqu'au dîner. Servir.

Variante : ajouter une cuillerée à soupe de confiture double fruit à faible teneur en sucre à la place des fruits frais.

Sandwiches

Les variantes sont infinies, mais voici quelques conseils destinés à transformer le modeste sandwich en un repas feu vert pratique et nourrissant.

1. Utilisez toujours du pain 100 % de blé entier moulu sur pierre ou du pain à haute teneur en fibres.
2. Durant la phase I, servez les sandwiches ouverts.
3. Ajoutez au moins trois légumes, comme de la laitue, des tomates, des poivrons rouges ou verts, des concombres, des germes de soya ou des oignons.
4. Tartinez le pain de moutarde ou de hoummos. Évitez la mayonnaise ordinaire ou le beurre.
5. Ajoutez 120 g (4 oz) de viande maigre cuite ou de poisson.
6. Mélangez du thon ou du poulet cuit haché avec de la mayonnaise légère ou de la vinaigrette et du céleri.
7. Mélangez du saumon en conserve avec du vinaigre de malt (n'ayez pas peur des arêtes).
8. Pour que vos sandwiches soient frais, et non trempés, emballez les éléments séparément et assemblez-les juste avant de manger.

Le souper

Tous les repas proposés ci-après sont basés sur les ratios de portions évoqués au chapitre 3. Les légumes doivent occuper 50 % de votre assiette et devraient toujours comprendre au moins un légume vert, un mélange d'au moins deux autres légumes et une salade verte. La viande, la volaille ou le poisson devrait remplir 25 % de votre assiette, et le riz, les pâtes ou les pommes de terre devraient couvrir les 25 % qui restent.

Les idées de repas suivantes sont inspirées des besoins typiques de la famille. J'ai adapté les recettes conformément aux principes du régime I. G.

LA VOLAILLE : RECETTE DE BASE

1 portion

La poitrine de poulet ou de dinde cuite, dont la teneur en lipides est naturellement faible, peut être apprêtée de douzaines de façons. Il est possible de la combiner à toute une variété de fines herbes, d'épices et de légumes pour en rehausser la saveur. Vous trouverez ci-après une méthode feu vert de cuisson de la volaille, suivie de trois recettes à base de viande cuite. Les proportions sont pour une portion. Vous pouvez les multiplier au besoin pour les recettes suivantes.

	huile végétale (de préférence huile de canola ou d'olive) en aérosol de cuisine
120 g (4 oz)	poitrine de poulet ou de dinde désossée, sans peau, entière, en tranches ou en cubes

1. Vaporiser l'huile dans une petite poêle à frire à revêtement antiadhésif et faire chauffer à feu moyen.
2. Ajouter la poitrine de poulet ou de dinde et faire sauter jusqu'à ce que la viande soit encore ferme au toucher et ait perdu sa coloration rosée, environ 4 minutes par côté pour 1 poitrine de poulet ou un morceau de dinde, ou 5 à 6 minutes pour les tranches ou les cubes.

SAUTÉ ASIATIQUE

2 portions

	huile végétale (de préférence huile de canola ou d'olive) en aérosol de cuisine
750 ml (3 tasses)	légumes mélangés, comme les carottes, le chou-fleur, le brocoli, les champignons et les pois mange-tout (voir la note à la page suivante)
5 ml (1 c. à thé)	gingembre frais, haché
5 ml (1 c. à thé)	sauce de soya
sel et poivre noir	
240 g (8 oz)	poitrine de poulet ou de dinde désossée, sans peau, cuite (voir p. 112)

1. Vaporiser l'huile dans une petite poêle à frire à revêtement antiadhésif et faire chauffer à feu moyen.
2. Ajouter les légumes mélangés et les faire sauter jusqu'à ce qu'ils soient tendres, environ 5 minutes.
3. Ajouter le gingembre, la sauce de soya et bien mélanger. Assaisonner au goût de sel et de poivre.
4. Ajouter la poitrine de poulet ou de dinde cuite et remuer. Laisser mijoter jusqu'à ce que le poulet ou la dinde soient bien chauds, 2 minutes. Servir.

Variante : pour préparer le plat encore plus rapidement, utiliser 10 à 15 ml (2 à 3 c. à thé) de sauce à sauté du commerce à la place du gingembre, du soya, du sel et du poivre.

Note : pour des raisons de commodité, on peut utiliser des légumes mélangés congelés ou des poivrons coupés congelés.

POULET ITALIEN

2 portions

240 g (8 oz)	champignons tranchés
1	oignon moyen, tranché
1 boîte de 540 ml (1 boîte de 19 oz)	tomates italiennes hachées
1	gousse d'ail émincée
	origan et basilic frais ou séché, haché
240 g (8 oz)	poitrine de poulet ou de dinde désossée, sans peau, cuite (voir p. 112)

1. Mettre les champignons, l'oignon et les tomates dans une casserole. Ajouter un peu d'eau pour empêcher les tomates de coller et faire chauffer à feu moyen jusqu'à ce que les champignons et les oignons soient ramollis.
2. Ajouter l'ail, l'origan et le basilic, remuer et laisser mijoter pendant 5 minutes.
3. Ajouter la poitrine de poulet ou de dinde cuite et remuer. Laisser mijoter 2 minutes ou jusqu'à ce que le poulet ou la dinde soient bien chauds. Servir.

CARI DE POULET

2 portions

	Huile végétale (de préférence huile de canola ou d'olive) en aérosol de cuisine
1	oignon moyen, tranché
15 à 30 ml (1 à 2 c. à soupe)	cari en poudre, au goût
250 ml (1 tasse)	carottes tranchées
250 ml (1 tasse)	céleri haché
125 ml (½ tasse)	riz basmati non cuit
1	pomme moyenne, hachée
60 ml (¼ tasse)	raisins secs
250 ml (1 tasse)	eau
120 g (4 oz)	poitrine de poulet ou de dinde désossée, sans peau, cuite (voir p. 112)

1. Vaporiser l'huile dans une petite poêle à frire à revêtement antiadhésif et faire chauffer à feu moyen.
2. Ajouter l'oignon et le cari en poudre, remuer de manière à bien enrober les oignons de cari et sauter 1 minute.
3. Ajouter les carottes et le céleri, remuer, puis sauter pendant 1 minute.
4. Ajouter le riz, la pomme, les raisins et l'eau et remuer. Couvrir et laisser mijoter jusqu'à ce que tout le liquide soit absorbé.
5. Ajouter la poitrine de poulet ou de dinde cuite et remuer. Laisser sur le feu 2 minutes ou jusqu'à ce que le poulet ou la dinde soient bien chauds. Servir.

LE POISSON : RECETTE DE BASE

1 portion

Pratiquement tous les poissons conviennent, mais n'utilisez jamais les versions panées ou frites du commerce. Le saumon et la truite sont les plus populaires dans ma famille. Les variétés déjà épicées ou assaisonnées sont acceptables, mais pourquoi payer plus cher pour quelque chose que l'on peut facilement faire soi-même ?

Voici la méthode de cuisson des filets de poisson au four à micro-ondes. Elle ne pourrait être plus simple. Les proportions sont pour une portion. Vous pouvez les multiplier au besoin pour les recettes suivantes.

1	filet de poisson (120 g [4 oz] env.)
5 à 10 ml	jus de citron frais
(1 à 2 c. à thé)	
	poivre noir

1. Mettre le filet de poisson dans un plat allant au four à micro-ondes.
2. Arroser légèrement le poisson de jus de citron et saupoudrer de poivre.
3. Couvrir le plat d'une pellicule plastique allant au four à micro-ondes et relever légèrement un coin de la pellicule pour laisser échapper la vapeur.
4. Cuire le poisson à puissance maximale jusqu'à ce qu'il ait une coloration opaque et qu'il se détache aisément à la fourchette, de 4 à 5 minutes. Laisser reposer 2 minutes, puis servir.

Variantes

- Saupoudrer le poisson d'herbes fraîches ou séchées, comme de l'aneth, du persil, du basilic ou de l'estragon.
- Faire cuire le poisson sur un lit de poireaux et d'oignons. (Ne pas ajouter d'huile.)
- Saupoudrer le poisson d'un mélange de chapelure de blé entier et de persil haché (5 ml [1 c. à soupe] par filet), et ajouter 5 ml (1 c. à thé) de margarine légère non hydrogénée fondue.

Quelques plats d'accompagnement feu vert

Vous demandez-vous quoi servir avec la volaille, le poisson ou la viande? Voici quelques plats d'accompagnement faciles à préparer qui conviennent parfaitement au régime I. G.

- Des haricots verts avec des amandes ou des champignons.
- Des légumes mélangés, comme des carottes tranchées, des bouquets de brocoli ou de chou-fleur, et des choux de Bruxelles coupés en deux.
- Des pommes de terre nouvelles bouillies (2 ou 3 par portion), saupoudrées de fines herbes avec un peu d'huile d'olive.
- Du riz basmati. (Vous pouvez mélanger quelques légumes au riz durant la dernière minute de cuisson.) Limitez les portions à 60 ml (3 c. à soupe) de riz non cuit, ce qui vous donne 160 ml ($\frac{2}{3}$ de tasse) de riz cuit et correspond au quart de la surface de l'assiette.
- Des pâtes – environ 35 g (1$\frac{1}{4}$ oz) de pâtes cuites, ce qui donne 180 ml ($\frac{3}{4}$ tasse) de pâtes cuites et correspond au quart de la surface de l'assiette.

La viande

Le veau et le jambon cuit sont ce qu'il y a de mieux. La viande rouge est généralement un aliment de catégorie feu jaune, quoique, pour des raisons pratiques, j'ai inclus certaines coupes de bœuf maigre et le bœuf haché extramaigre dans la phase I. La teneur en matières grasses du porc et de l'agneau est généralement plus élevée, de sorte que vous devriez les éviter jusqu'à la phase II. La taille des portions est cruciale. N'oubliez pas de vous servir de la paume de votre main ou d'un jeu de cartes pour vous guider dans l'établissement des portions. Ne vous en faites pas si ces portions vous semblent modestes. J'ai vraiment eu du mal à réduire mes portions de steak au début, mais maintenant mon estomac proteste devant les portions que l'on sert dans de nombreux restaurants.

Le steak au dîner

Voici comment servir un repas de steak complet :

- Faire griller sur la cuisinière ou au charbon de bois un steak de haut de ronde ou de noix de ronde (120 g [4 oz] par personne).
- Faire sauter des oignons et des champignons tranchés avec un peu d'eau dans une casserole anti-adhésive, et servir avec le steak.
- Assaisonner des morceaux de brocoli et d'asperges, ainsi que des choux de Bruxelles coupés en deux avec de la muscade et du poivre, puis les faire cuire au four à micro-ondes à la puissance maximale, de 3 à 5 minutes ou jusqu'à ce qu'ils soient tendres.
- Faire bouillir 45 ml (3 c. à soupe) de riz basmati non cuit, ou deux ou trois pommes de terre nouvelles par personne. Assaisonner les pommes de terre cuites d'herbes et d'un peu d'huile d'olive.

CHILI

4 portions

10 ml (2 c. à thé)	huile d'olive
1	gros oignon tranché
2	gousses d'ail émincées
225 g (½ lb)	bœuf haché extra-maigre (facultatif)
2	poivrons verts hachés
500 ml (2 tasses)	tomates en conserve
	chili en poudre au goût
2 ml (½ c. à thé)	piment de Cayenne (facultatif)
2 ml (½ c. à thé)	sel

1 ml (¼ c. à thé)	basilic
500 ml (2 tasses)	eau
1 boîte de 540 ml (1boîte de 19 oz)	fèves rouges, égouttées et rincées
1 boîte de 540 ml (1 boîte de 19 oz)	fèves blanches, égouttées et rincées
	(facultatif) tomates hachées, persil frais haché et coriandre fraîche hachée ou fromage de yogourt pour garnir (voir p. 121)

1. Faire chauffer l'huile d'olive dans une casserole ou une poêle à frire profonde à feu moyen. Ajouter l'oignon et l'ail et les faire sauter jusqu'à ce qu'ils deviennent tendres.

2. Ajouter le bœuf haché, le cas échéant et faire brunir en défaisant la viande à l'aide d'une fourchette. Égoutter le surplus de gras.

3. Ajouter les poivrons, les tomates, le chili en poudre, le piment de Cayenne, au goût, le sel, le basilic et l'eau, et amener à ébullition. Baisser le feu et laisser mijoter, sans couvrir, jusqu'à ce que le chili ait atteint la consistance désirée, environ 45 minutes.

4. Ajouter les fèves rouges et blanches, et cuire à feu moyen jusqu'à ce que le tout soit bien chaud, environ 5 minutes. Garnir le chili de tomates, de persil, de coriandre et de fromage de yogourt, au goût.

Fromage de yogourt
Cherchez-vous une méthode feu vert pour remplacer la crème sure ? Essayez le fromage de yogourt. C'est facile à faire à partir de yogourt nature à 0 % M.G. Placez un tamis tapissé d'un morceau d'étamine (coton à fromage) ou d'essuie-tout sur un bol. À l'aide d'une cuillère, versez le yogourt dans le tamis et couvrez d'une pellicule plastique. Mettez le tamis et le bol dans le réfrigérateur. Laissez égoutter toute une nuit. Le lendemain, vous aurez du fromage de yogourt.

PAIN DE VIANDE

6 portions

680 g (1½ lb)	bœuf haché extra-maigre (moins de 10 % de gras)
250 ml (1 tasse)	jus de tomate
125 ml (½ tasse)	flocons d'avoine à l'ancienne (non cuits)
1	œuf légèrement battu
125 ml (½ tasse)	oignon haché
15 ml (1 c. à soupe)	sauce Worcestershire
2 ml (½ c. à thé)	sel (facultatif)
1 ml (¼ c. à thé)	poivre noir

1. Préchauffer le four à 180 °C (350 °F).
2. Mettre tous les ingrédients dans un grand bol. Mélanger légèrement, mais pas complètement.
3. Façonner la viande en pain et la déposer dans un moule à pain de 20 cm x 10 cm (8 po x 4 po).

4. Faire cuire le pain de viande pendant 1 heure ou jusqu'à ce qu'un thermomètre à viande inséré au centre marque 70 °C (160 °F).
5. Laisser reposer le pain de viande 5 minutes avant d'égoutter le jus, puis le trancher.

Variante : le bœuf extra-maigre a tout de même une teneur en gras relativement élevée. Il est préférable de remplacer le bœuf haché par une quantité équivalente de poitrine de dinde ou de poulet hachée. La dinde ou le poulet haché sont cuits lorsque le thermomètre à viande marque 76,5 °C (170 °F).

Les collations

Les collations jouent un rôle crucial entre les repas, car elles nous donnent de l'énergie au moment où nous en avons le plus besoin. Prenez-en trois par jour : au milieu de la matinée, au milieu de l'après-midi et avant d'aller vous coucher. La plupart des aliments de collation sont catastrophiques du point de vue des glucides et des lipides. Il faut éviter à tout prix les biscuits du commerce, les muffins et les friandises. Heureusement, il existe d'autres options tout aussi satisfaisantes, qui sont à la fois commodes et peu coûteuses. Ayez-en toujours à portée de la main.

Voici une liste de collations feu vert qui n'exigent aucune préparation de votre part :

- 1 fruit (pomme, poire, pêche ou orange) avec quelques amandes.
- 120 g (4 oz) de fromage cottage maigre (1 % ou moins) mélangé avec 5 ml (1 c. à thé) de confiture double fruit peu sucrée.

- 180 ml (¾ tasse) de yogourt maigre aux fruits avec un édulcorant.
- ½ barre de collation Balance ou Zone (200 calories, 20 à 30 g de glucides, 12 à 15 g de protéines et 5 g de lipides par barre).
- 8 à 10 amandes, noisettes ou arachides.

Vous trouverez plusieurs autres recettes de collations faciles à préparer au chapitre 8.

CHAPITRE SEPT

La phase II

Félicitations! Vous avez atteint votre nouvel objectif de poids!

C'est maintenant le moment de revenir à la page 48 et de remplir la grille comme vous l'avez fait il y a quelques mois. Comparez ce que vous mangiez alors avec votre régime actuel. Je vous garantis que le changement vous étonnera.

C'est peut-être difficile à croire, mais lorsque j'ai atteint mon poids cible – j'avais perdu 10 kg (22 lb) et 7,5 cm (3 po) de tour de taille – j'ai dû faire un effort de volonté pour manger plus afin d'éviter de continuer de maigrir. Ma femme disait que j'entrais dans la « zone des traits tirés ».

Les repas et les collations de la phase II

L'objectif de la phase II consiste à augmenter le nombre de calories consommées de manière à maintenir le nouveau poids. Rappelez-vous l'équation : pour que le poids reste stable, l'énergie alimentaire ingérée doit être égale à l'énergie dépensée. Durant la phase I, vous consommiez moins d'énergie alimentaire que vous dépensiez d'énergie, et vos réserves de lipides compensaient le déficit. Maintenant, il faut compenser le déficit en ajoutant un peu d'énergie alimentaire ou de calories.

Voici deux mises en garde. Premièrement, votre corps s'est habitué à fonctionner avec moins de calories et, dans une certaine mesure, il s'est adapté. En conséquence, votre corps est plus efficace qu'à la sombre époque où il avait plus d'énergie alimentaire qu'il ne pouvait en utiliser. Deuxièmement, votre nouveau poids plus bas demande moins de calories pour fonctionner. Par exemple, si vous avez perdu 10 % de votre poids, votre corps a besoin de 10 % moins de calories pour fonctionner.

L'association d'un corps plus efficace, qui demande moins d'énergie pour fonctionner, avec un poids inférieur, qui demande moins de calories, implique que vous n'avez besoin que d'une faible augmentation d'énergie alimentaire pour équilibrer le ratio alimentation/dépense d'énergie. La plus grosse erreur faite par la plupart des personnes à la fin d'un régime consiste à présumer qu'elles peuvent désormais consommer une plus grande quantité de calories que ce dont leur corps a vraiment besoin. En réalité, la phase II diffère très peu de la phase I. La phase II vous donne la possibilité de faire de petits ajustements de portions et d'ajouter à votre régime de nouveaux aliments de la catégorie feu jaune. Toutes les règles fondamentales du programme de la phase I demeurent cependant immuables. Voici quelques suggestions sur la façon dont vous pourrez modifier votre alimentation dans la phase II.

Au petit-déjeuner

- Augmentez la portion de céréales, p. ex. : de 125 à 160 ml (½ à ¾ tasse) de gruau.
- Ajoutez une rôtie de pain de blé entier à 100 % et une coquille de margarine.
- Doublez la quantité d'amandes tranchées dans les céréales.

- Prenez une tranche supplémentaire de bacon de dos.
- Prenez un verre de jus de fruits à l'occasion.
- Ajoutez un des fruits interdits – une banane ou des abricots – dans vos céréales.
- Prenez un café avec caféine. Essayez de vous en tenir à un par jour, et buvez-en un bon !

Au dîner

Je vous conseille de continuer de suivre les indications de la phase I au dîner. C'est le seul repas qui admet certains compromis dans la portion d'amaigrissement du programme, parce que, en général, nous achetons ce repas chaque jour.

Au souper

- Ajoutez une autre pomme de terre nouvelle bouillie (de deux ou trois à trois ou quatre).
- Augmentez la portion de riz ou de pâtes de 180 ml à 250 ml (¾ tasse à 1 tasse).
- Mangez une tranche de steak de 180 g (6 oz), plutôt que de 120 g (4 oz). Faites-le pour vous faire plaisir de temps en temps. Il ne s'agit pas d'en prendre l'habitude.
- Mangez quelques olives et quelques noix de plus, mais surveillez les portions, parce que celles-ci contiennent énormément de calories.
- Offrez-vous un épi de maïs avec une coquille de margarine non hydrogénée.
- Ajoutez une tranche de pain de blé entier, à haute teneur en fibres.
- Mangez une coupe maigre de porc ou d'agneau (une portion d'au plus 120 g [4 oz]).
- Buvez un verre de vin rouge avec votre dîner.

À l'heure de la collation

AVERTISSEMENT : surveillez rigoureusement les quantités ou la taille des portions.

- Du maïs soufflé à faible teneur en matières grasses, cuit au micro-ondes (pas plus de 500 ml [2 tasses]).
- Des noix, de 8 à 10 seulement.
- Un ou deux carrés de chocolat mi-amer (voir ci-dessous).
- Une banane.
- Une boule de crème glacée à faible teneur en matières grasses.

Le chocolat

Pour plusieurs d'entre nous, l'idée d'un monde sans chocolat est intolérable. La bonne nouvelle, c'est que certains chocolats, en quantité restreinte, sont acceptables.

La plupart des chocolats contiennent de grandes quantités de graisses saturées et de sucre, qui font grossir. Toutefois, le chocolat à forte teneur en cacao (70 % et plus) procure une plus grande satisfaction par gramme. Ainsi, un ou deux carrés de chocolat riche, noir, mi-amer représentent exactement la dose qui convient aux mordus de chocolat, comme moi. On trouve ce chocolat à haute teneur en cacao dans divers magasins spécialisés et dans de nombreux super-marchés.

L'alcool

Voici le moment que certains d'entre vous attendaient. Dans la phase II, la consommation quotidienne d'un verre de vin, de préférence rouge et pendant le dîner, est non seulement permise, mais elle est encouragée ! De nombreuses recherches ont récemment été entreprises sur les bienfaits de l'alcool sur la santé. On reconnaît généralement qu'il est préférable de boire un peu d'alcool que de n'en pas boire du tout, surtout pour la santé du cœur. On a découvert que le vin rouge en particulier contient beaucoup de flavonoïdes, et que, lorsqu'on le consomme modérément (un verre par jour), il réduit les risques de maladies cardiaques et d'accidents vasculaires cérébraux. Il est tentant de prétendre que, si un verre est bon pour la santé, deux sont sûrement encore mieux, mais ce n'est pas vrai. Un verre procure un bienfait optimal.

Comme pour le café, s'il ne faut boire qu'un verre par jour, aussi bien en boire un très bon. Mon fils aîné, qui est programmeur d'ordinateurs à Seattle et qui a un style de vie dont je ne peux que rêver, m'a pris au mot au sujet du vin et m'a abonné au magazine *Wine Spectator*. Cet abonnement est devenu le cadeau le plus coûteux que j'aie jamais reçu, parce que tout l'univers des vins et de leur classification s'est ouvert devant moi. Ma limite de 10 $ la bouteille pour les occasions spéciales a maintenant doublé ou triplé, mais la dépense s'est rationalisée : je bois moins, de sorte que je peux me permettre cette fantaisie !

À titre d'amateur de bière, j'aime en boire une, à l'occasion, à la place du vin. Cette habitude a récemment reçu l'aval d'un groupe de scientifiques, qui a rapporté à la fin de 1999 que la bière (consommée avec modération) réduirait le cholestérol et, par conséquent, les maladies cardiaques, retarderait la ménopause et réduirait les incidences de plusieurs cancers. Ils ont également observé que la bière aurait des propriétés anti-inflammatoires et antiallergiques, ainsi qu'un effet positif sur la densité osseuse. Personnellement, je me méfie de tout produit qu'on prétend miraculeux pour toutes les maladies, mais il est clair qu'un verre de bière au dîner est plus bénéfique que nuisible. Rappelez-vous cependant que la bière, à cause de sa teneur élevée en malt, est une boisson à I. G. élevé, de sorte qu'il est particulièrement important de la consommer avec modération.

Si vous consommez de l'alcool, faites-le toujours avec votre repas. La nourriture ralentit l'absorption de l'alcool, ce qui en atténue l'effet.

Comment manger pour le reste de votre vie

Compte tenu des nouvelles options qui vous sont offertes dans la phase II, vous aurez peut-être la tentation d'exagérer. Si les kilos commencent à réapparaître, revenez simplement à la phase I pendant quelque temps. La rapidité avec laquelle votre équilibre sera rétabli vous étonnera.

La phase II constituera votre régime alimentaire jusqu'à la fin de vos jours. Votre apparence s'améliorera et vous vous sentirez mieux. Vous aurez plus d'énergie et vous ne connaîtrez pas de faiblesse hypoglycémique. Cela pourra vous amuser de sortir votre sac à dos et de le remplir du poids que vous venez de perdre. Portez-le sur votre dos pendant une heure ou deux, et réjouissez-vous ensuite de ne pas avoir à le porter jusqu'à la fin de vos jours ! Chaque fois que votre détermination vacille, reprenez le sac à dos. C'est un excellent moyen de se motiver.

La faculté de réussir est entre vos mains. J'ai essayé de vous proposer un programme simple et stimulant, qui vous évitera de ressentir la faim, la fatigue ou la confusion. Tout est dans le livre ; le reste ne tient qu'à vous.

Alors, portez le sac à dos pendant quelques heures, videz votre garde-manger et allez au supermarché. Pensez à stationner le plus loin possible de l'entrée pour marcher un peu plus longtemps. Tout commence par un premier pas !

CHAPITRE HUIT

Les recettes

Le petit-déjeuner

HUEVOS RANCHEROS

FEU VERT

Ces œufs mettent du piquant dans le début de la journée et ils sont très nourrissants. Le four est parfait pour les pocher, de sorte que vous pouvez profiter de vos invités pendant la cuisson du brunch.

10 ml (2 c. à thé)	huile de canola
1	oignon haché
2	gousses d'ail émincées
1	petit piment jalapeño émincé
15 ml (1 c. à soupe)	poudre de chili
5 ml (1 c. à thé)	origan séché
5 ml (1 c. à thé)	cumin moulu
1 boîte de 398 ml (14 oz)	tomates à l'étuvée
250 ml (1 tasse)	cocktail de légumes ou jus de tomate
1 boîte de 540 ml (1 boîte de 19 oz)	haricots noirs, égouttés et rincés
1 boîte de 540 ml (1 boîte de 19 oz)	pois chiches égouttés et rincés
1	poivron vert finement haché

60 ml (¼ tasse)	coriandre fraîche, hachée
30 ml (2 c. à soupe)	persil plat frais, haché
6	œufs
6	petites tortillas de blé entier

1. Chauffer l'huile à feu moyen dans une grande poêle à frire antiadhésive et cuire l'oignon, l'ail, le piment jalapeño, la poudre de chili, l'origan et le cumin environ 3 minutes ou jusqu'à ce que l'oignon commence à se ramollir. Ajouter les tomates, le jus de légumes, les haricots noirs, les pois chiches, le poivron vert et la moitié de la coriandre et du persil et amener à ébullition. Baisser le feu et laisser mijoter environ 15 minutes ou jusqu'à ce que le mélange épaississe légèrement. Verser le mélange dans un plat allant au four de 23 cm x 33 cm (9 po x 13 po).

2. Préchauffer le four à 215 °C (425 °F).

3. Casser un œuf dans un petit bol et le glisser délicatement sur le mélange aux haricots. Répéter avec les œufs qui restent, en les espaçant comme des biscuits sur une plaque à pâtisserie. Couvrir le plat de papier d'aluminium et cuire au four jusqu'à ce que les blancs des œufs soient fermes (ou plus longtemps au goût), environ 10 minutes. Saupoudrer le reste de la coriandre et du persil sur le plat et servir avec les tortillas.

Donne 6 portions.

OMELETTE ROULÉE DU SUD-OUEST `FEU VERT`

Le brunch est une occasion idéale de rencontrer les amis et la famille, mais personne ne veut passer tout son temps aux fourneaux. Voici une omelette du Sud-Ouest format familial avec une garniture aux haricots, que vous pourrez préparer à l'avance. Elle s'accompagne parfaitement d'une salade et de fruits frais.

Roux

30 ml (2 c. à soupe) huile de canola
45 ml (3 c. à soupe) farine de blé entier
250 ml (1 tasse)   lait écrémé chaud
1 ml (¼ c. à thé)   sel
1   pincée de poivre noir
1   pincée de cumin moulu
                     (facultatif)

Omelette

4   blancs d'œufs
250 ml (1 tasse)   œufs liquides

Garniture

1 paquet de 240 g   fromage à la crème faible en
(8 oz)   matières grasses, ramolli
125 ml (½ tasse)   salsa faible en matières grasses
1 boîte de 540 ml   haricots rouges, égouttés et
(1 boîte de 19 oz)   rincés
1   poivron rouge ou vert, en dés
2   oignons verts, tranchés
60 ml (¼ tasse)   coriandre fraîche ou persil plat
                     frais hachés

1. **Préparer le roux :** chauffer l'huile dans une petite casserole à feu moyen et ajouter la farine. Cuire pendant 1 minute en remuant constamment. Ajouter peu à peu le lait et laisser cuire en remuant doucement, jusqu'à ce que le mélange soit assez épais pour enduire le dos d'une cuillère, environ 5 minutes. Ajouter le sel, le poivre et le cumin, le cas échéant et bien battre pour

mélanger uniformément. Verser dans un grand bol et laisser refroidir.

2. Préchauffer le four à 180 °C (350 °F). Graisser une plaque à pâtisserie de 28 cm x 43 cm (11 po x 17 po) et la tapisser de papier sulfurisé.

3. Entre-temps, dans un autre bol, battre les blancs d'œufs en neige jusqu'à la formation de pics fermes. Intégrer les œufs liquides dans le roux en fouettant et incorporer la moitié des blancs d'œufs au mélange. Ajouter le reste des blancs, en remuant doucement jusqu'à l'obtention d'un mélange uniforme. Verser ce dernier sur la plaque à pâtisserie préparée. Cuire au four environ 18 minutes ou jusqu'à ce que les œufs soient gonflés, légèrement dorés et fermes au toucher. Laisser refroidir sur la plaque à pâtisserie.

4. **Préparer la garniture :** mélanger le fromage à la crème et la salsa dans un grand bol, jusqu'à ce que le mélange soit homogène. Incorporer les haricots, le poivron rouge, les oignons verts et la coriandre. Réserver.

5. Passer un petit couteau autour des bords de la plaque à pâtisserie et placer un torchon propre sur le dessus. Renverser les œufs sur un plan de travail propre et détacher délicatement le papier sulfurisé. Étendre la garniture uniformément sur les œufs en laissant une bordure de 5 cm (2 po) sur l'un des longs côtés.

6. En vous servant du torchon comme guide, rouler l'omelette en partant du côté long vers l'autre côté long où se trouve la bordure de 5 cm (2 po). Couper en 2 pour faire deux rouleaux. À l'aide d'une spatule ou d'un couteau à palette, transférer les rouleaux dans un long plat de service. Couper chaque rouleau en 4 avant de servir.

Donne 8 portions.

ŒUFS AUX ÉPINARDS ET JAMBON   FEU VERT

Un conte préféré de notre enfance reprend vie, avec de très sains résultats. Les épinards donnent de la couleur et de la saveur au mélange d'œufs et le jambon maigre leur confère une petite note salée. Voici une recette qui demande à être partagée avec la famille et les amis à l'occasion d'un petit-déjeuner de fête.

5 ml (1 c. à thé)	huile de canola
1	petit oignon finement haché
1	gousse d'ail émincée
2	poivrons rouges, tranchés mince
60 ml (¼ tasse)	persil plat frais, haché
60 ml (¼ tasse)	basilic ou marjolaine séchés ou 5 ml (1 c. à thé) d'herbes fraîches
5 ml (1 c. à thé)	moutarde de Dijon
6 tranches	jambon maigre ou bacon de dos

Œufs aux épinards

300 g (10 oz)	jeunes pousses d'épinards
5 ml (1 c. à thé)	huile de canola
500 ml (2 tasses)	œufs liquides
2 ml (½ c. à thé)	sel
1 ml (¼ c. à thé)	poivre noir
30 ml (2 c. à soupe)	persil plat frais, haché
30 ml (2 c. à soupe)	basilic frais, haché

1. Chauffer l'huile à feu moyen dans une poêle à frire anti-adhésive. Ajouter l'oignon et l'ail et cuire pendant 3 minutes. Ajouter les poivrons, le persil et le basilic et cuire jusqu'à ce que les poivrons soient tendres, mais encore croquants, environ 3 minutes. Vider le mélange dans un plat allant au four, de 23 cm x 33 cm (9 po x 13 po).

2. Badigeonner chaque tranche de jambon d'un peu de moutarde et les disposer sur le mélange aux poivrons en une couche. Réserver.

3. **Préparer les œufs aux épinards :** rincer les épinards dans une passoire et laisser égoutter. Chauffer une grande poêle à frire antiadhésive à feu moyen. Ajouter les épinards, progressivement si nécessaire, couvrir et cuire jusqu'à ce qu'ils soient flétris et d'un vert brillant, environ 3 minutes. Égoutter de nouveau, laisser refroidir un peu, et presser pour enlever l'excès d'eau. Hacher les épinards et réserver.

4. Préchauffer le four à 200 °C (400 °F).

5. Chauffer l'huile à feu moyen dans une poêle à frire antiadhésive. Entre-temps, fouetter ensemble dans un grand bol les œufs liquides, le sel et le poivre. Ajouter les épinards hachés et mélanger le tout.

6. Verser le mélange d'œufs et d'épinards dans la poêle à frire et cuire, sans remuer, jusqu'à ce que le mélange commence à figer sur les bords. Soulever l'un des bords avec une spatule et incliner la poêle de manière que les parties non cuites coulent dessous. Saupoudrer les œufs de persil et de basilic et continuer la cuisson jusqu'à ce que les œufs prennent.

7. Couper la préparation en six portions et disposer une portion des œufs cuits sur chacune des tranches de jambon. Couvrir le plat de papier d'aluminium et cuire au four environ 10 minutes pour que le tout soit bien chaud.

Donne 6 portions.

Les soupes

SOUPE À LA CRÈME D'ÉPINARDS `FEU VERT`

De nombreuses soupes crémeuses contiennent, comme leur nom l'indique, de la crème. D'autres tirent leur texture crémeuse de l'ajout de pommes de terre en purée. Cette soupe est à base de haricots blancs en purée, ce qui en fait une bonne source de fibres et lui donne de la saveur et une texture crémeuse, tout en la maintenant dans la catégorie feu vert.

5 ml (1 c. à thé)	huile de colza
1	oignon haché
1	branche de céleri hachée
1	carotte hachée
2	gousses d'ail émincées
15 ml (1 c. à soupe)	thym frais haché ou 5 ml (1 c. à thé) de thym séché
2	tomates hachées
1,25 l (5 tasses)	bouillon de légumes ou de poulet (faible en matières grasses et en sel)
1 boîte de 540 ml (1 boîte de 19 oz)	haricots blancs égouttés et rincés
300 g (10 oz)	jeunes pousses d'épinards parées
1	pincée de sel et de poivre noir

1. Chauffer l'huile dans une marmite à feu moyen. Ajouter l'oignon, le céleri, la carotte, l'ail et le thym et cuire jusqu'à ce que l'oignon soit ramolli, environ 5 minutes. Ajouter les tomates et cuire 2 minutes. Ajouter le bouillon de légumes et les haricots et amener à ébullition. Réduire le feu et laisser mijoter 10 minutes.

2. Entre-temps, à l'aide d'un couteau de chef, hacher finement les épinards et réserver.

3. Réduire graduellement la soupe en purée dans un mélangeur jusqu'à ce que le mélange soit uniforme et remettre la soupe dans la marmite. Amener à faible ébullition et ajouter les épinards, le sel et le poivre. Cuire en remuant jusqu'à ce que les épinards soient tendres, flétris et d'un vert brillant, environ 5 minutes.

Donne de 4 à 6 portions.

SOUPE AU CHOU-FLEUR ET AUX POIS CHICHES   `FEU VERT`

Cette combinaison vous donnera un motif de plus d'acheter du chou-fleur. C'est absolument délicieux avec un soupçon de gingembre et de cumin.

5 ml (1 c. à thé)	huile de canola
1	oignon pelé et haché
2	gousses d'ail émincées
1	carotte hachée
1	branche de céleri hachée
15 ml (1 c. à soupe)	gingembre pelé, émincé
10 ml (2 c. à thé)	cumin moulu
2 ml (½ c. à thé)	coriandre moulue
1 ml (¼ c. à thé)	curcuma moulu
1,5 l (6 tasses)	chou-fleur haché (voir la note à la page suivante)
2 boîtes de 540 ml (2 boîtes de 19 oz)	pois chiches égouttés et rincés
1,5 l (6 tasses)	bouillon de légumes ou de poulet (faible en gras et en sel)
125 ml (½ tasse)	yogourt à 0 % M.G. nature
45 ml (3 c. à soupe)	coriandre fraîche hachée

1. Chauffer l'huile dans une marmite à feu moyen. Ajouter l'oignon, l'ail, la carotte, le céleri, le gingembre, le cumin, la coriandre et le curcuma et cuire jusqu'à ce que l'oignon ait ramolli, environ 5 minutes. Ajouter le chou-fleur et les pois chiches et cuire en remuant, environ 2 minutes. Ajouter le bouillon de légumes et amener à ébullition. Couvrir et laisser mijoter jusqu'à ce que le chou-fleur soit tendre, environ 20 minutes.
2. Transférer progressivement la soupe dans un mélangeur ou un robot culinaire et réduire en purée. Remettre la soupe dans la marmite et réchauffer. Servir avec une cuillerée de yogourt et parsemer de coriandre.

Donne de 6 à 8 portions.

Conservation : lorsque la soupe a refroidi, vous pouvez la conserver au réfrigérateur dans des contenants hermétiques jusqu'à trois jours ou au congélateur jusqu'à un mois.

Note : vous devrez acheter un petit chou-fleur d'un peu moins d'un kilo (2 lb) pour obtenir six tasses de chou-fleur haché.

SOUPE AU POULET ET AUX HARICOTS DU SUD-OUEST   FEU VERT

Ce plat a la saveur du poulet au chili, mais la consistance d'une soupe. Vous pouvez faire vos propres nachos et les servir comme accompagnement. Il suffit de couper des pitas de blé entier en 8 morceaux chacun et de les faire griller au four à 200 °C (400 °F) sur une plaque à pâtisserie pendant 10 minutes.

5 ml (1 c. à thé)	huile de canola
1	oignon haché finement
2	gousses d'ail émincées
10 ml (2 c. à thé)	poudre de chili
2 ml (½ c. à thé)	paprika
2 ml (½ c. à thé)	cumin moulu
1,5 l (6 tasses)	bouillon de poulet (faible en matières grasses et en sel)
1 boîte de 398 ml (1 boîte de 14 oz)	tomates à l'étuvée
1	poivron rouge en dés
1	poivron vert en dés
360 g (12 oz)	poulet sans la peau, haché finement
1 boîte de 425 g (1 boîte de 14 oz)	haricots rouges, égouttés et rincés
30 ml (2 c. à soupe)	coriandre fraîche hachée
30 ml (2 c. à soupe)	jus de lime frais

1. Chauffer l'huile dans une marmite à feu moyen. Ajouter l'oignon, l'ail, la poudre de chili, le paprika et le cumin et cuire jusqu'à ce que l'oignon ait ramolli, environ 5 minutes.

2. Ajouter le bouillon de poulet, les tomates et les poivrons rouges et verts, et amener à ébullition. Baisser le feu, et ajouter le poulet et les haricots. Laisser mijoter, en remuant, environ 8 minutes, ou jusqu'à ce que le poulet perde sa coloration rosée à l'intérieur. Ajouter la coriandre et le jus de lime avant de servir.

Donne 4 portions.

Les salades

SALADE DE RIZ MÉDITERRANÉENNE AVEC VINAIGRETTE PIQUANTE À LA MOUTARDE ET AUX HERBES `FEU VERT`

Voici un plat de dîner succulent dont les restes (s'il y en a) sont tout aussi délicieux le lendemain, au dîner. Les amateurs de viande sont libres d'ajouter des tranches de jambon ou de dinde.

375 ml (1½ tasse)	bouillon de légumes ou de poulet
180 ml (¾ tasse)	riz brun
1 ml (¼ c. à thé)	sel
500 ml (2 tasses)	jeunes pousses d'épinards légèrement tassées
500 ml (2 tasses)	laitue à feuilles rouges déchiquetée
2	tomates hachées
1 boîte de 540 ml (1 boîte de 19 oz)	haricots mélangés, égouttés et rincés
1	courgette en dés
1	poivron rouge en dés
1	concombre en dés
2	œufs dur pelés et coupés en quartiers

Vinaigrette piquante à la moutarde et aux herbes

60 ml (¼ tasse)	vinaigre de riz
30 ml (2 c. à soupe)	basilic frais, haché
30 ml (2 c. à soupe)	persil plat frais, haché
15 ml (1 c. à soupe)	huile d'olive extra-vierge
10 ml (2 c. à thé)	moutarde de Dijon
1 ml (¼ c. à thé)	sel et poivre noir

1. Amener le bouillon, le riz et le sel à ébullition dans une marmite. Réduire à feu doux, couvrir et cuire jusqu'à ce que le liquide soit absorbé, environ 35 minutes. Retirer du feu et laisser reposer, environ 5 minutes. Remuer doucement le riz à la fourchette et laisser refroidir légèrement.

2. Entre-temps, mettre les épinards, la laitue, les tomates, les haricots, la courgette, le poivron rouge et le concombre dans un grand bol de service. Ajouter le riz et mélanger délicatement. Disposer les œufs sur le dessus.

3. **Faire la vinaigrette piquante à la moutarde et aux herbes :** fouetter ensemble dans un petit bol le vinaigre, le basilic, le persil, l'huile, la moutarde, le sel et le poivre.

4. Verser sur la salade et mélanger.

Donne de 4 à 6 portions.

SALADE NIÇOISE   FEU VERT

Voici une salade qui constitue un repas en soi. Vous pouvez remplacer le thon en boîte par du thon frais grillé lorsque vous pouvez vous en procurer. Choisissez un thon dont la chair est ferme et luisante et qui ne dégage pas d'arôme de poisson. Faites-le griller deux minutes de chaque côté pour obtenir un steak de thon parfait, pas trop cuit.

450 g (1 lb)	haricots verts parés
500 ml (2 tasses)	laitue à feuilles rouges en morceaux
500 ml (2 tasses)	laitue Boston en morceaux
4	pommes de terre nouvelles, cuites
2 boîtes de 170 g (2 boîtes de 6 oz)	thon blanc en morceaux égoutté

2	œufs durs
1 boîte de 540 ml (1 boîte de 19 oz)	pois chiches égouttés et rincés
250 ml (1 tasse)	tomates en grappe
½	petit oignon rouge, tranché mince (facultatif)
60 ml (¼ tasse)	petites olives noires dénoyautées

Vinaigrette à la moutarde et aux anchois

1	filet d'anchois émincé, ou 5 ml (1 c. à thé) de pâte d'anchois
15 ml (1 c. à soupe)	moutarde de Dijon
1	petite gousse d'ail émincée
60 ml (¼ tasse)	vinaigre de vin blanc
30 ml (2 c. à soupe)	huile d'olive extra-vierge
1 ml (¼ c. à thé)	sel
1 ml (¼ c. à thé)	poivre noir
1	pincée de paprika
30 ml (2 c. à soupe)	basilic ou persil plat frais haché

1. Amener une casserole d'eau à ébullition. Ajouter les haricots verts et cuire jusqu'à ce qu'ils soient tendres mais croquants, environ 7 minutes. Égoutter, rincer à l'eau froide, jusqu'à ce qu'ils soient frais. Réserver.

2 Disposer la laitue à feuilles rouges et la Boston dans une grande assiette. Couper les pommes de terre en quartiers et les disposer harmonieusement sur la laitue. Ajouter les haricots cuits, le thon, les œufs, les pois chiches, les tomates, l'oignon rouge, le cas échéant, et les olives.

3. **Faire la vinaigrette à la moutarde et aux anchois :** Dans un bol, réduire le filet d'anchois en purée à la fourchette et ajouter la moutarde de Dijon et l'ail. Écraser jusqu'à l'obtention d'un mélange uniforme. Ajouter le

vinaigre, l'huile, le sel, le poivre et le paprika et fouetter. Arroser la laitue de vinaigrette. Parsemer de basilic.

Donne de 4 à 6 portions.

SALADE DE PORC À LA JAMAÏCAINE   FEU JAUNE

La sauce Jerk est un assaisonnement jamaïcain traditionnel utilisé pour épicer le porc, le poulet et le poisson. Le piment fort lui donne du mordant et les herbes lui confèrent une saveur à l'effet adoucissant.

3	oignons verts hachés
1	grosse gousse d'ail hachée
½	poivron vert haché
½	poivron rouge haché
1	petit piment habanero ou jalapeño, épépiné
15 ml (1 c. à soupe)	thym frais haché ou 5 ml (1 c. à thé) de thym séché
5 ml (1 c. à thé)	piment de la Jamaïque
5 ml (1 c. à thé)	muscade
5 ml (1 c. à thé)	poivre noir
30 ml (2 c. à soupe)	jus de lime frais
15 ml (1 c. à soupe)	huile de canola
2	filets de porc de 340 g (12 oz) chacun

Vinaigrette chili et lime

30 ml (2 c. à soupe)	vinaigre de cidre
5 ml (1 c. à thé)	moutarde de Dijon
5 ml (1 c. à thé)	huile de canola
2 ml (½ c. à thé)	zeste de lime râpé
15 ml (1 c. à soupe)	jus de lime frais

2 ml (½ c. à thé)	succédané de sucre
1 ml (¼ c. à thé)	poudre de chili
1	pincée de sel et de poivre noir
1,5 l (6 tasses)	légumes à feuilles, mélangés
250 ml (1 tasse)	tomates en grappe coupées en deux
250 ml (1 tasse)	concombres hachés
1 boîte de 540 ml (1 boîte de 19 oz)	haricots mélangés, égouttés et rincés

1. Préchauffer le gril extérieur ou un plateau à grillades.
2. Mettre dans un robot culinaire les oignons verts, l'ail, les poivrons vert et rouge, le piment habanero, le thym, le piment de la Jamaïque, la muscade et le poivre noir. Battre jusqu'à l'obtention d'une pâte uniforme. Ajouter le jus de lime et l'huile et battre de nouveau.
3. Placer les filets dans un plat peu profond, et les enrober d'assaisonnement Jerk. Couvrir et réfrigérer pendant au moins 20 minutes et jusqu'à 8 heures.
4. **Faire la vinaigrette chili et lime :** fouetter ensemble dans un petit bol le vinaigre, la moutarde, l'huile, le zeste et le jus de lime, le succédané de sucre, la poudre de chili, le sel et le poivre.
5. Mettre les filets sur la grille huilée, à feu moyen. Cuire, en tournant de temps en temps, pendant 20 minutes, ou jusqu'à ce qu'il reste seulement une faible trace de coloration rosée. Mettre les filets dans une assiette.
6. Dans un bol à servir, mélanger ensemble les légumes à feuilles, les tomates, les concombres et les haricots mélangés. Verser la vinaigrette sur la salade et mélanger.
7. Couper les filets de porc en tranches minces et disposer les tranches sur la salade.

Donne 6 portions.

SALADE CÉSAR AUX CREVETTES   FEU VERT

La salade César est un plat merveilleux. Vous pouvez en changer la saveur en y ajoutant une poitrine de poulet grillée ou un filet de saumon rôti.

3 tranches	pain de blé entier moulu sur pierre
30 ml (2 c. à soupe)	persil plat, frais haché finement
2	gousses d'ail émincées
10 ml (2 c. à thé)	huile d'olive extra-vierge
2 ml (½ c. à thé)	basilic séché
1	pincée de sel et de poivre noir
1 l (4 tasses)	laitue romaine hachée
1 boîte de 540 ml (1 boîte de 19 oz)	haricots mélangés, égouttés et rincés
250 ml (1 tasse)	tomates en grappe, coupées en deux
360 g (12 oz)	grosses crevettes cuites

Vinaigrette aux anchois et à l'ail

3	gousses d'ail émincées
2	filets d'anchois finement émincés (voir Conseil pratique)
10 ml (2 c. à thé)	moutarde de Dijon
45 ml (3 c. à soupe)	bouillon de poulet (faible en matières grasses et en sel)
20 ml (4 c. à thé)	huile d'olive extra-vierge
15 ml (1 c. à soupe)	jus de citron frais
1 ml (¼ c. à café)	sel
1 ml (¼ c. à café)	poivre noir

1. Préchauffer le four à 200 °C (400 °F).
2. Couper le pain en morceaux de 2 cm (1 po) et les mettre dans un bol. Ajouter le persil, l'ail, l'huile, le basilic, le sel et le poivre et bien mélanger pour enrober les morceaux. Disposer le pain sur une plaque à pâtisserie tapissée de papier sulfurisé et cuire au four jusqu'à ce que les croûtons soient dorés et croustillants, environ 15 minutes. Laisser refroidir.
3. Dans un grand bol, mélanger la laitue, les haricots, les tomates et les crevettes. Réserver.
4. **Faire la vinaigrette aux anchois et à l'ail :** dans un petit bol, réduire en purée à l'aide d'une fourchette l'ail, les anchois et la moutarde. Incorporer en fouettant le bouillon de poulet, l'huile, le jus de citron, le sel et le poivre.
5. Verser la vinaigrette sur la salade et mélanger. Parsemer de croûtons avant de servir.

Donne 4 portions.

Conseil pratique : vous pouvez utiliser 10 ml (2 c. à thé) de pâte d'anchois à la place des deux filets d'anchois. Vous trouverez la pâte d'anchois au rayon des produits laitiers de votre épicerie.

Les plats végétariens

PÂTÉ CHINOIS VÉGÉTARIEN FEU VERT

Voici une version plus légère d'un plat traditionnellement assez lourd. Bien que le pâté chinois traditionnel soit composé de bœuf ou d'agneau haché, notre recette est à base de boulghour et de haricots. Le plat demeure réconfortant et plein de protéines, mais il est plus sain. Le boulghour est aussi connu sous le nom de «pâtes du Moyen-Orient» ou de blé concassé. Si vous le souhaitez, vous pouvez omettre le nappage de pommes de terre et servir la garniture dans des bols comme du chili.

5 ml 1 c. à thé	huile de canola
1	petit oignon haché finement
2	gousses d'ail émincées
180 ml (¾ tasse)	boulghour
5 ml (1 c. à thé)	origan séché
2 ml (½ c. à thé)	basilic séché
375 ml (1½ tasse)	bouillon de légumes
250 ml (1 tasse)	tomates à l'étuvée en conserve avec le jus
2	pommes de terre nouvelles, rouges
60 ml (¼ tasse)	eau
1 boîte de 540 ml (1 boîte de 19 oz)	pois chiches, égouttés et rincés
250 ml (1 tasse)	petits pois congelés
2 ml (½ c. à thé)	sel
2 ml (½ c. à thé)	poivre noir
30 ml (2 c. à soupe)	persil plat frais, haché

1. Chauffer l'huile à feu moyen dans une poêle à frire antiadhésive. Ajouter l'oignon, l'ail, le boulghour, l'origan et le basilic, et cuire jusqu'à ce que l'oignon ait ramolli, environ 5 minutes. Ajouter le bouillon et les tomates, écraser les tomates avec le dos d'une cuillère et amener à ébullition. Réduire le feu, couvrir et laisser mijoter jusqu'à ce que le boulghour soit juste tendre, environ 10 minutes.
2. Préchauffer le four à 200 °C (400 °F).

3. Entre-temps, percer les pommes de terre à l'aide d'une fourchette. Les mettre dans un petit bol avec l'eau et cuire au four à micro-ondes à la puissance maximum pendant 5 minutes. Laisser refroidir.
4. Ajouter les pois chiches, les pois et la moitié du sel et du poivre au boulghour et bien mélanger. Verser le tout dans une cocotte et égaliser la surface.
5. Couper les pommes de terre en tranches minces et les disposer en les faisant se chevaucher légèrement, sur le mélange au boulghour. Saupoudrer le reste du sel et du poivre et parsemer de persil.
6. Cuire jusqu'à ce que le mélange bouillonne, environ 20 minutes. Laisser refroidir légèrement avant de servir.

Donne 4 portions.

Conseil pratique : si vous ne souhaitez pas faire cuire les pommes de terre au four à micro-ondes, faites-les bouillir dans une casserole contenant suffisamment d'eau pour les couvrir ou jusqu'à ce qu'elles soient tendres, mais encore fermes, environ 10 minutes.

PIZZA AUX HARICOTS ET À L'OIGNON   FEU VERT

Voici un plat de restaurant très populaire adapté à votre mode de vie soucieux de l'I. G.

Pâte à pizza

180 ml (¾ tasse)	eau chaude
560 ml (2¼ tasses)	levure sèche active
330 ml (1 ⅓ tasse)	farine de blé entier
125 ml (½ tasse)	son de blé
1	pincée de sel

Garniture

5 ml (1 c. à thé)	huile de canola
2	oignons hachés finement
2	gousses d'ail émincées
1 ml (¼ c. à thé)	thym séché
1 pincée	sel et poivre noir
60 ml (¼ tasse)	tomates séchées
125 ml (½ tasse)	eau bouillante
250 ml (1 tasse)	haricots rouges cuits
180 ml (¾ tasse)	sauce à pizza faible en matières grasses
30 ml (2 c. à soupe)	basilic frais haché
180 ml (¾ tasse)	feta faible en M.G., émiettée

1. **Préparer la pâte à pizza :** verser l'eau dans un grand bol et y saupoudrer la levure. Laisser reposer environ 10 minutes, ou jusqu'à la formation de mousse. Incorporer 1¼ tasse de farine, le son et le sel, jusqu'à la formation d'une pâte molle. Couvrir et laisser reposer 30 minutes. Déposer la pâte sur une surface enfarinée et pétrir, en ajoutant la farine qui reste au besoin, jusqu'à la formation d'une pâte souple, légèrement collante. Mettre la pâte dans un bol graissé, couvrir et laisser reposer jusqu'à ce qu'elle ait doublé de volume, environ 1 heure.

2. **Préparer la garniture :** chauffer l'huile dans une poêle à frire antiadhésive à feu moyennement vif. Ajouter les oignons et l'ail et cuire en remuant jusqu'à ce que l'oignon prenne une teinte dorée, environ 3 minutes. Réduire le feu à température moyenne, et ajouter le thym, le sel et le poivre. Continuer la cuisson, en remuant de temps en temps, jusqu'à ce que l'oignon soit tendre et d'un brun doré, environ 15 minutes.

3. Plonger les tomates séchées dans l'eau bouillante et laisser reposer 5 minutes. Égoutter, jeter l'eau et hacher les tomates.

4. Préchauffer le four à 220 °C (425 °F). Dégonfler la pâte avec le poing et la rouler sur une surface enfarinée pour qu'elle couvre une plaque à pizza ronde de 30 sur 35 cm (12 po x 14 po). Mettre la pâte sur la plaque en l'étirant au besoin.

5. Mettre les haricots dans un grand bol à mélanger et les écraser à l'aide d'un pilon à pommes de terre. Incorporer la sauce à pizza, les tomates séchées et le basilic. Disposer la garniture sur la pâte à pizza. Ajouter les oignons et garnir de feta.

6. Cuire au four environ 20 minutes ou jusqu'à ce que la pizza soit dorée et croustillante.

Donne 4 portions.

RAGOÛT DE CHAMPIGNONS ET DE HARICOTS

`FEU VERT`

Le ragoût est une sauce épaisse qui accompagne délicieusement les nouilles ou le riz. J'aime particulièrement le servir avec des radiatore ou des rotini. Vous pouvez également le servir seul, comme du chili.

10 ml (2 c. à thé)	huile d'olive extra-vierge
450 g (1 lb)	champignons hachés finement
1	oignon haché
4	gousses d'ail émincées
1	petite tige de céleri haché
1	petite carotte en dés
5 ml (1 c. à thé)	assaisonnement aux fines herbes italiennes et paprika

1 boîte de 796 ml (1 boîte de 28 oz)	tomates en dés
1 boîte de 540 ml (1 boîte de 19 oz)	haricots rouges, égouttés et rincés
60 ml (¼ tasse)	pâte de tomates
1	Pincée de sel et de poivre noir

1. Chauffer l'huile à feu moyennement élevé dans un grand faitout peu profond. Faire cuire les champignons, l'oignon, l'ail, le céleri, la carotte, l'assaisonnement aux fines herbes italiennes et le paprika, jusqu'à ce que l'oignon soit doré et que le liquide des champignons s'évapore, environ 10 minutes.
2. Ajouter les tomates, les haricots, la pâte de tomates, le sel et le poivre, et amener à ébullition. Baisser le feu et laisser mijoter doucement environ 25 minutes ou jusqu'à épaississement.

Donne 4 portions.

PURÉE DE HARICOTS BLANCS   FEU VERT

Ce plat d'accompagnement crémeux remplace avantageusement les pommes de terre en purée et contient plus de fibres. L'ajout de bouillon de légumes donne à la purée sa consistance crémeuse. Vous pouvez ajouter vos légumes verts préférés, comme le cresson, pour obtenir un goût poivré, ou le chou frisé, pour avoir un plat d'hiver plus consistant.

250 ml (1 tasse)	bouillon de légumes (faible en matières grasses et en sel)
2 boîtes de 540 ml (2 boîtes de 19 oz)	haricots blancs, égouttés et rincés

1 ml (¼ c. à thé)	thym séché
1 ml (¼ c. à thé)	poivre noir
500 ml (2 tasses)	jeunes pousses d'épinards déchiquetées
1	pincée de sel

1. Amener le bouillon de légumes à ébullition dans une casserole. Ajouter les haricots, le thym et le poivre noir. Laisser mijoter environ 10 minutes.
2. Réduire le mélange de haricots en purée à l'aide d'un pilon à pommes de terre jusqu'à l'obtention d'une consistance assez homogène. Incorporer les épinards et le sel.

Donne 4 portions.

MOUSSAKA VÉGÉTARIENNE   FEU VERT

La moussaka, traditionnellement préparée avec de l'agneau haché, peut devenir un mets à I. G. faible lorsqu'on remplace la viande par des légumes.

2	grosses aubergines (environ 1,3 kg [3 lb env.] au total)
10 ml (2 c. à thé)	sel
5 ml (1 c. à thé)	huile de canola
2	gros oignons hachés finement
3	gousses d'ail émincées
1	poivron rouge en dés
1	poivron vert en dés
5 ml (1 c. à thé)	origan
5 ml (1 c. à thé)	cannelle moulue
2 ml (½ c. à thé)	poivre noir
1 ml (¼ c. à thé)	poivre de Jamaïque moulu

1 boîte de 796 ml (1 boîte de 28 oz)	tomates en dés
60 ml (¼ tasse)	pâte de tomates
1 boîte de 540 ml (1 boîte de 19 oz)	pois chiches égouttés et rincés
60 ml (¼ tasse)	persil plat frais haché

Sauce au fromage

30 ml (2 c. à soupe)	huile de canola
60 ml (¼ tasse)	farine de blé entier
500 ml (2 tasses)	lait écrémé chaud
1 ml (¼ c. à thé)	sel
1	pincée de muscade et de poivre noir
160 ml (⅔ tasse)	œufs liquides
125 ml (½ tasse)	fromage cottage à pâte pressée 1 % M.G.
250 ml (1 tasse)	feta faible en M.G., émiettée

1. Préchauffer le four à 220 °C (425 °F). Couper les aubergines en tranches de 0,5 cm (¼ po) d'épaisseur, les disposer dans une passoire en couches et saupoudrer de sel. Laisser reposer 30 minutes, puis rincer les tranches et bien les égoutter. Les mettre sur des plaques à pâtisserie tapissées de papier sulfurisé et les faire griller, en plusieurs fournées si nécessaire, pendant environ 20 minutes, ou jusqu'à ce qu'elles soient tendres. Réserver.

2. Chauffer l'huile à feu moyen dans un grand faitout peu profond ou une poêle à frire antiadhésive profonde. Ajouter les oignons, l'ail, les dés de poivrons rouges et verts, l'origan, la cannelle, le poivre et le poivre de Jamaïque, et cuire jusqu'à ce que les oignons aient ramolli, environ 5 minutes. Ajouter les tomates et la pâte de

tomates, et amener à ébullition. Ajouter les pois chiches et le persil, baisser le feu et laisser mijoter 15 minutes.

3. **Préparer la sauce au fromage :** chauffer l'huile dans une casserole à feu moyen. Incorporer la farine et cuire pendant 1 minute. Ajouter le lait et cuire, en fouettant délicatement, environ 10 minutes ou jusqu'à ce que le mélange soit suffisamment épais pour enduire le dos d'une cuillère. Incorporer le sel, la muscade et le poivre noir. Laisser refroidir légèrement, et incorporer l'œuf et le fromage cottage en fouettant.

4. Préchauffer le four à 180 °C (350 °F). Étendre un tiers de la sauce aux tomates au fond d'un plat allant au four de 23 cm x 33 cm (9 po x 13 po). Couvrir d'un tiers des tranches d'aubergines et d'un quart de feta. Continuer à alterner les couches. Après la dernière couche d'aubergines, étendre la sauce au fromage uniformément et disposer le reste de la feta.

5. Cuire au four environ 1 heure, ou jusqu'à ce que le dessus soit d'un brun doré. Laisser reposer 10 minutes avant de servir.

Donne 8 portions.

MACARONIS AU FROMAGE
ET AUX LÉGUMES GRILLÉS   FEU JAUNE

Les macaronis au fromage sont un aliment de réconfort très populaire. Pourquoi ne pas y ajouter quelques légumes pour en rehausser la couleur, la saveur et le contenu en fibres ?

2	carottes grossièrement hachées
2	courgettes hachées
2	gousses d'ail

1	petite aubergine en cubes
1	poivron rouge haché
1	oignon coupé en 8 quartiers
60 ml (¼ tasse)	bouillon de légumes (faible en matières grasses et en sel)
5 ml (1 c. à thé)	thym séché
2 ml (½ c. à thé)	sel
1 ml (¼ c. à thé)	poivre noir

Sauce au fromage

45 ml (3 c. à soupe)	huile de canola
80 ml (⅓ tasse)	farine de blé entier
750 ml (3 tasses)	lait écrémé chaud
10 ml (2 c. à thé)	moutarde de Dijon
250 ml (1 tasse)	cheddar faible en M.G., émietté
30 ml (2 c. à soupe)	parmesan râpé
1 ml (¼ c. à café)	sel et poivre noir
375 ml (1½ tasse)	macaronis de blé entier

1. Préchauffer le four à 220 °C (425 °F). Mélanger dans un grand bol les carottes, les courgettes, l'ail, l'aubergine, le poivron rouge, l'oignon, le bouillon de légumes, le thym, le sel et le poivre. Disposer le mélange en une seule couche sur une grande plaque à pâtisserie tapissée de papier sulfurisé ou de papier d'aluminium. Faire griller environ 35 minutes ou jusqu'à ce que les légumes soient brun doré et croquent sous la dent. Réserver.

2. Amener une grande casserole d'eau bouillante à ébullition.

3. **Préparer la sauce au fromage :** chauffer l'huile à feu moyen dans une grande casserole. Ajouter la farine et cuire, en remuant, environ 1 minute. Ajouter lentement le lait en fouettant et continuer de fouetter délicatement jusqu'à ce que le mélange soit suffisamment épais pour

enduire le dos d'une cuillère, environ 5 minutes. Ajouter la moutarde, le cheddar et le parmesan, le sel et le poivre et fouetter jusqu'à l'obtention d'un mélange homogène. Retirer du feu.

4. Entre-temps, faire cuire les macaronis dans l'eau bouillante jusqu'à ce qu'ils soient *al dente*, environ 8 minutes. Bien égoutter et incorporer à la sauce au fromage. Ajouter les légumes grillés et mélanger.

Donne de 4 à 6 portions.

Préparation à l'avance : si vous souhaitez préparer ce mets une journée d'avance, couvrez simplement le plat avec un film étirable avant de le faire cuire, et mettez-le au réfrigérateur. Retirez le film et faites cuire au four à 180 °C (350 °F) environ 45 minutes ou jusqu'à ce que le tout soit bien chaud.

STRATE DE POIVRONS GRILLÉS AUX TOMATES
FEU VERT

Les strates sont des ragoûts en couches avec du pain. Nous avons converti les nôtres en repas feu vert en utilisant du pain de blé entier et en diminuant la quantité. C'est un plat que l'on peut préparer à l'avance pour le brunch ou un dîner parfait à la bonne franqtette.

8 tranches	pain de blé entier moulu sur pierre
2 pots de 300 ml (2 pots de 10 oz)	poivrons rouges grillés, égouttés
1 l (4 tasses)	brocoli cuit haché
250 ml (1 tasse)	fromage suisse faible en M.G., émietté

500 ml (2 tasses) lait écrémé
250 ml (1 tasse) œufs liquides
30 ml (2 c. à soupe) moutarde de Dijon
30 ml (2 c. à soupe) persil plat frais, haché
1 ml (¼ c. à thé) sel
1 ml (¼ c. à thé) poivre noir
2 tomates tranchées

1. Enlever les croûtes du pain. Couper les tranches en cubes de 2 cm (1 po) et en disposer la moitié au fond d'un plat graissé allant au four, de 23 cm x 33 cm (9 po x 13 po).
2. Couper les poivrons en lanières longues et minces. Disposer la moitié des poivrons et la moitié du brocoli sur le pain. Ajouter la moitié du fromage. Couvrir avec le reste des cubes de pain, des poivrons, du brocoli et du fromage.
3. Fouetter ensemble dans un grand bol le lait, les œufs liquides, la moutarde, le persil, le sel et le poivre. Verser le tout sur le mélange de pain, couvrir et réfrigérer pendant au moins deux heures, ou jusqu'à 24 heures.
4. Préchauffer le four à 180 °C (350 °F). Mettre les tranches de tomates sur le ragoût, en les faisant se chevaucher légèrement au besoin. Cuire au four, à découvert, pendant environ 45 minutes ou jusqu'à ce que les bords soient dorés et qu'un couteau inséré au centre en sorte propre.

Donne de 8 à 10 portions.

Poissons et fruits de mer

BEIGNETS DE CREVETTES
ET DE CRABE
FEU VERT

Les beignets de crevettes et de crabe sont le clou du brunch. Vous pouvez utiliser des pétoncles à la place des crevettes, et des jeunes pousses d'épinards à la place de la roquette. Quelle que soit la façon dont vous les préparerez, ils disparaîtront à vue d'œil.

1 boîte de 540 ml (1 boîte de 19 oz)	pois chiches égouttés et rincés
450 g (1 lb)	grosses crevettes crues, décortiquées et déveinées
500 ml (2 tasses)	chair de crabe
180 ml (¾ tasse)	croûtons de blé entier, frais
80 ml (⅓ tasse)	œufs liquides
125 ml (½ tasse)	céleri frais, haché
60 ml (¼ tasse)	aneth frais, haché
1 ml (¼ c. à thé)	sel
1 ml (¼ c. à thé)	poivre noir
2	tomates en dés
2	poivrons rouges en dés
45 ml (3 c. à soupe)	persil plat frais, haché

Vinaigrette

15 ml (1 c. à soupe)	huile d'olive extra-vierge
1	grosse gousse d'ail
½	piment jalapeño émincé
45 ml (3 c. à soupe)	jus de citron frais
1 l (4 tasses)	roquette en morceaux ou feuilles d'épinards

1. Hacher finement les pois chiches au robot culinaire. Verser dans un grand bol. Procéder de même avec les crevettes. Les mélanger avec les pois chiches.
2. Préchauffer le four à 220 °C (425 °F). Mettre la chair de crabe dans un tamis fin et en extraire tout le liquide. Retirer le cartilage s'il y en a et mettre la chair de crabe dans le bol. Ajouter les croûtons de pain, les œufs liquides, le céleri, l'aneth, le sel et le poivre et mélanger à la main jusqu'à ce que le mélange se tienne. Façonner la pâte en 18 beignets, d'un peu plus de 1 cm (½ po) d'épaisseur. Mettre les beignets sur une plaque à pâtisserie tapissée de papier sulfurisé. Cuire environ 20 minutes, ou jusqu'à ce que les beignets soient dorés et fermes au toucher.
3. Entre-temps, mélanger les tomates, les poivrons rouges et le persil dans un bol. Réserver.
4. **Faire la vinaigrette :** fouetter ensemble dans un petit bol l'huile, l'ail, le piment jalapeño et le jus de citron. Réserver.
5. Disposer la roquette dans une grande assiette à servir, et y placer les beignets de crevettes et de crabe. Garnir du mélange de tomates et arroser de vinaigrette juste avant de servir.

Donne de 8 à 10 portions.

POISSON MINUTE AVEC RELISH AUX TOMATES ET AUX POIS CHICHES   FEU VERT

Cette recette est si polyvalente, qu'elle s'adapte au poisson, au poulet, à la dinde ou aux côtelettes d'agneau (que je préfère !). Le goût légèrement sucré de la relish s'harmonise bien au goût poivré du poisson. Le riz basmati et les haricots verts accompagnent ce plat à merveille.

Relish aux tomates et aux pois chiches

2	grosses tomates, épépinées et hachées finement
250 ml (1 tasse)	pois chiches cuits, hachés
80 ml (1/3 tasse)	poivron rouge haché finement
60 ml (1/4 tasse)	oignon haché finement
60 ml (1/4 tasse)	persil plat frais, haché
60 ml (1/4 tasse)	vinaigre de cidre
15 ml (1 c. à soupe)	succédané de sucre
10 ml (2 c. à thé)	épices à marinades
1	pincée de sel et de poivre noir

Darne

60 ml (1/4 tasse)	vinaigre de vin rouge
30 ml (2 c. à soupe)	thym frais, haché ou 5 ml (1 c. à thé) de thym séché
2	gousses d'ail émincées
10 ml (2 c. à thé)	moutarde de Dijon
2 ml (1/2 c. à thé)	poivre noir
450 g (15 oz)	darne de thon

1. Préchauffer le gril extérieur ou une plaque à griller.
2. **Préparer la relish aux tomates et aux pois chiches :** mélanger dans un grand bol les tomates, les pois chiches, le poivron rouge, l'oignon, le persil, le vinaigre, le succédané de sucre, les épices à marinade, le sel et le poivre. Réserver.
3. Mélanger dans un grand plat peu profond le vinaigre, le thym, l'ail, la moutarde et le poivre. Ajouter la darne de thon et la tourner pour l'enrober. Laisser mariner 5 minutes.
4. Mettre la darne de thon sur la grille huilée à feu moyen-vif, et faire griller environ 8 minutes (ou jusqu'à l'obtention du degré de cuisson désiré). Tourner la darne une seule fois durant la cuisson.

5. Couper la darne en 4 morceaux et servir avec la relish.

Donne 4 portions.

Côtelettes d'agneau – Option feu jaune : remplacez la darne de thon par 8 côtelettes d'agneau. Augmentez le temps de cuisson à 10 minutes pour obtenir des côtelettes à demi-saignantes.

Poulet – Option feu vert : remplacer le poisson par 4 poitrines de poulet sans la peau. Le temps de cuisson sera d'environ 25 minutes.

POISSON BLANC GRILLÉ
SAUCE MANDARINE
`FEU VERT`

Une sauce citronnée vite faite confère une note tropicale à ce filet de poisson consistant. Vous pouvez préparer ce repas élégant avec du tilapia, de l'aiglefin ou du poisson-chat.

Sauce mandarine

2 boîtes de 284 ml	mandarines, sans sucre,
(2 boîtes de 9 oz	égouttées
1	poivron rouge en dés
125 ml (½ tasse)	concombre en dés
60 ml (¼ tasse)	oignon rouge en dés fins
45 ml (3 c. à soupe)	coriandre fraîche, hachée
15 ml (1 c. à soupe)	vinaigre de riz
4 ml (¼ c. à soupe)	sel
1	pincée de poivre noir

Filets de poisson

180 ml (¾ tasse)	chapelure de blé entier, fraîche
60 ml (¼ tasse)	persil plat frais, haché
30 ml (2 c. à soupe)	son de blé
30 ml (2 c. à soupe)	germe de blé
15 ml (1 c. à soupe)	estragon frais, haché ou
	5 ml (1 c. à thé) d'estragon séché
1 ml (¼ c. à thé)	sel
1 ml (¼ c. à thé)	poivre noir
60 ml (¼ tasse)	farine de blé entier
80 ml (⅓ tasse)	œufs liquides
4	filets de poisson (120 g ch. [4 oz])
20 ml (4 c. à thé)	huile de canola

1. **Préparer la sauce mandarine :** hacher grossièrement les tranches de mandarine et les mettre dans un bol. Ajouter le poivron rouge, le concombre, l'oignon, la coriandre, le vinaigre de riz, le sel et le poivre. Mélanger le tout.

2. **Préparer les filets de poisson :** préparer trois grands plats peu profonds. Dans le premier, mélanger la chapelure, le persil, le son et le germe de blé, l'estragon, le sel et le poivre. Dans le deuxième, mettre la farine. Dans le troisième, mettre l'œuf liquide. Rouler un filet de poisson dans la farine d'abord, puis le secouer pour enlever l'excès de farine. Plonger ensuite le filet dans les œufs liquides, puis l'enrober uniformément de chapelure. Répéter les étapes avec les autres filets. Mettre les filets préparés dans une assiette tapissée de papier ciré et réserver.

3. Chauffer la moitié de l'huile dans une grande poêle à frire antiadhésive à feu moyen-vif. Ajouter 2 des filets et cuire, en les tournant une fois, jusqu'à ce qu'ils soient brun doré, environ 10 minutes. Répéter l'opération avec

le reste de l'huile et les deux autres filets. Servir nappé de sauce mandarine.

Donne 4 portions.

La volaille

SANDWICH REUBEN OUVERT
AU POULET
`FEU VERT`

Le costaud sandwich Reuben a toujours été très populaire dans les restaurants à l'heure du lunch. La version que je propose est allégée, pleine de fibres et rehaussée d'une pâte à tartiner piquante. Accompagnée d'une salade verte, elle est idéale pour le lunch ou le souper.

Pâte à tartiner

125 ml (½ tasse)	yogourt nature
10 ml (2 c. à thé)	vinaigre balsamique
1	œuf dur, haché finement
10 ml (2 c. à thé)	olives vertes dénoyautées, émincées
10 ml (2 c. à thé)	poivron rouge émincé
2 ml (½ c. à thé)	sauce Worcestershire
4 tranches	pain de blé entier moulu sur pierre
750 ml (3 tasses)	poulet cuit, en miettes (voir Conseil pratique)
500 ml (2 tasses)	chou en lanières
1	tomate tranchée
4 tranches	fromage suisse faible en M.G.
10 ml (2 c. à thé)	margarine molle non hydrogénée ou huile de canola

1. **Préparer la pâte à tartiner** : fouetter ensemble dans un petit bol le yogourt, le vinaigre, l'œuf, les olives, le poivron rouge et la sauce Worcestershire.
2. Badigeonner chaque tranche de pain d'une quantité égale de pâte à tartiner. Garnir de poulet, de chou et de tomates. Disposer une tranche de fromage sur chaque sandwich.
3. Préchauffer le four à 200 °C (400 °F).
4. Faire fondre la margarine à feu moyen-vif dans une grande poêle à frire antiadhésive allant au four. Mettre les sandwiches dans la poêle, quelques-uns à la fois si nécessaire, et cuire jusqu'à ce que le pain soit grillé, environ 5 minutes. Mettre la poêle au four jusqu'à ce que le fromage soit fondu, environ 5 minutes.

Donne 4 portions.

Conseil pratique : vous pouvez utiliser des restes de poulet ou de dinde grillés ou rôtis. Vous pouvez également acheter 2 cuisses de poulet cuites ; une fois la peau et les os enlevés, vous devriez obtenir 750 ml (3 tasses) de viande.

PAELLA AU RIZ BASMATI   FEU VERT

Ce plat plaît à tout le monde et il est parfait pour recevoir. Organisez un repas thématique avec d'autres mets espagnols, comme les légumes verts et les pois chiches à l'étuvée.

15 ml (1 c. à soupe)	huile d'olive extra-vierge
450 g (1 lb)	cuisses de poulet désossées, sans la peau
1	oignon haché

4	gousses d'ail émincées
1	poivron rouge haché
1	poivron vert haché
1 l (4 tasses)	bouillon de poulet (faible en matières grasses et en sel)
1 boîte de 796 ml (1 boîte de 28 oz)	tomates en dés
15 ml (1 c. à soupe)	paprika
1 ml (¼ c. à thé)	filaments de safran
375 ml (1½ tasse)	riz basmati
450 g (1 lb)	haricots verts parés
250 ml (1 tasse)	fèves de Lima fraîches ou congelées
250 ml (1 tasse)	pois verts frais ou congelés
450 g (1 lb)	grosses crevettes crues, décortiquées et déveinées
450 g (1 lb)	moules rincées

1. Chauffer l'huile à feu moyen-vif dans un grand faitout peu profond ou une poêle à frire antiadhésive profonde. Ajouter les morceaux de poulets et cuire des deux côtés jusqu'à ce qu'ils brunissent. Les mettre dans une assiette.

2. Réduire le feu à intensité moyenne. Ajouter l'oignon, l'ail et les poivrons et cuire jusqu'à ce que l'oignon soit tendre, environ 5 minutes. Ajouter le bouillon de poulet, les tomates, le paprika et le safran et amener à ébullition. Incorporer le riz, le poulet et le jus de cuisson, baisser le feu et faire mijoter doucement à découvert, pendant environ 20 minutes.

3. Entre-temps, tailler les haricots verts en morceaux de 2 cm (1 po). Incorporer délicatement les haricots, les fèves de Lima et les pois dans le mélange au riz. Incorporer les crevettes et les moules, couvrir et cuire environ

15 minutes ou jusqu'à ce que le riz soit tendre et les moules ouvertes.

Donne de 6 à 8 portions.

Conseil pratique : les moules qui ne demeurent pas fermées avant la cuisson doivent être enlevées. Cognez-les délicatement sur le comptoir pour vérifier qu'elles demeurent fermées. Les moules cuites qui restent fermées après la cuisson doivent également être écartées.

POITRINE DE DINDE FARCIE
AUX ÉPINARDS   FEU VERT

Les légumes sont de parfaits accompagnements, mais ils gagnent également en saveur et en valeur nutritive lorsqu'on les sert directement dans la viande. Essayez de remplacer les épinards par la bette à carde dans cette recette. Vous obtiendrez un goût légèrement plus piquant.

5 ml (1 c. à thé)	huile de canola
125 ml (½ tasse)	oignons verts hachés
1	gousse d'ail émincée
½	poivron rouge en dés fins
½	poivron jaune en dés fins
250 ml (1 tasse)	haricots rouges cuits, en purée
15 ml (1 c. à soupe)	gingembre frais, haché finement
500 ml (2 tasses)	épinards hachés
30 ml (2 c. à soupe)	menthe fraîche, hachée
1 ml (¼ c. à thé)	sel
1 ml (¼ c. à thé)	poivre noir
1	poitrine de dinde sans la peau (environ 1 kg [2 lb])

Marinade au sésame et à l'ail

45 ml (3 c. à soupe) sauce de soya
30 ml (2 c. à soupe) vinaigre de riz
2   gousses d'ail hachées
10 ml (2 c. à thé)   huile de sésame
2 ml (½ c. à thé)   pâte de chili asiatique ou tabasco

1. Chauffer l'huile à feu moyen dans une grande poêle à frire antiadhésive. Ajouter les oignons verts et l'ail, et cuire jusqu'à ce que les oignons commencent à ramollir, environ 3 minutes. Ajouter les poivrons, les haricots et le gingembre et cuire en remuant pendant 2 minutes. Ajouter les épinards, couvrir et cuire, en remuant de temps en temps, jusqu'à ce qu'ils s'affaissent, environ 5 minutes. Ajouter la menthe, le sel et le poivre. Laisser refroidir complètement.

2. Enlever la peau de la dinde et la jeter. À l'aide d'un couteau de chef, trancher la poitrine de dinde horizontalement en deux, presque en entier. Ouvrir la poitrine comme un livre et, à l'aide d'un maillet à viande, l'aplatir jusqu'à 1 cm (½ po) d'épaisseur. Étendre le mélange d'épinards sur la poitrine. Rouler la viande comme un roulé à la confiture et attacher le rouleau avec une ficelle de cuisine à intervalles de 5 cm (2 po). Mettre le rouleau ficelé dans une petite rôtissoire peu profonde.

3. **Préparer la marinade au sésame et à l'ail :** fouetter ensemble dans un petit bol la sauce de soya, le vinaigre de riz, l'ail, l'huile de sésame et la pâte de chili asiatique. Verser la marinade sur la poitrine de dinde et tourner pour enrober tous les côtés. Couvrir d'une pellicule plastique et réfrigérer de 1 heure à 4 heures environ.

4. Préchauffer le four à 165 °C (325 °F). Faire rôtir la dinde environ 1 h 15 ou jusqu'à ce qu'un thermomètre à viande atteigne 80 °C (180 °F). Laisser reposer 10 minutes avant

de couper des tranches de 1 cm (½ po) ou laisser refroidir la dinde complètement et réfrigérer. Couper en fines tranches et servir.

Donne de 6 à 8 portions.

POULET JAMBALAYA   FEU VERT

Le jambalaya est un mets traditionnel cajun, dans lequel le riz absorbe les riches jus de la viande.

10 ml (2 c. à thé)	huile de canola
2	tiges de céleri hachées
2	gousses d'ail émincées
1	oignon haché
450 g (1 lb)	poulet désossé, sans la peau, coupé en cubes de 1 cm (½ po)
10 ml (2 c. à thé)	thym séché
10 ml (2 c. à thé)	origan séché
5 ml (1 c. à thé)	poudre de chili
1 ml (¼ c. à thé)	piment de Cayenne (facultatif)
500 ml (2 tasses)	bouillon de poulet (faible en matières grasses et en sel)
2	poivrons verts en dés
1 boîte de 796 ml (1 boîte de 28 oz)	tomates étuvées
1 boîte de 540 ml (1 boîte de 19 oz)	haricots égouttés et rincés
180 ml (¾ tasse)	riz brun
1	feuille de laurier
60 ml (¼ tasse)	persil plat frais, haché

1. Chauffer l'huile dans un faitout à feu moyennement élevé. Ajouter le céleri, l'ail et l'oignon, et cuire jusqu'à

ce que l'oignon ait ramolli, environ 5 minutes. Ajouter le poulet, le thym, l'origan, la poudre de chili et le piment de Cayenne et cuire, en remuant, pendant 5 minutes.

2. Ajouter le bouillon de poulet, les poivrons verts, les tomates, les haricots, le riz et la feuille de laurier et amener à ébullition. Couvrir et laisser mijoter à feu doux, en remuant de temps en temps, pendant 35 minutes ou jusqu'à ce que le riz soit tendre. Laisser reposer 5 minutes. Retirer la feuille de laurier et la jeter. Parsemer de persil avant de servir.

Donne 4 portions.

Option dinde : vous pouvez remplacer le poulet par de la dinde désossée, sans la peau.

Option fruits de mer : ajouter 240 g (8 oz) de petites crevettes crues, décortiquées et déveinées, durant les 10 dernières minutes de cuisson.

La viande

SPAGHETTIS AUX BOULETTES
DE VIANDE   `FEU VERT`

Les plats cuisinés à la maison sont toujours les bienvenus, et celui-là est un des plus populaires. Vous pouvez préparer les boulettes d'avance et les congeler.

1	œuf
80 ml (⅓ tasse)	chapelure fraîche de blé entier
60 ml (¼ tasse)	son de blé

60 ml (¼ tasse)	persil plat frais, haché
1	gousse d'ail émincée
1 ml (¼ c. à thé)	sel
1 ml (¼ c. à thé)	poivre
360 g (12 oz)	dinde ou poulet maigre haché
500 ml (2 tasses)	sauce pour pâtes aux légumes faible en matières grasses
250 ml (1 tasse)	pois chiches cuits
½	poivron vert en dés
180 g (6 oz)	spaghettis de blé entier

1. Préchauffer le four à 180 °C (350 °F). Mélanger dans un grand bol l'œuf, la chapelure, le son, le persil, l'ail, le sel et le poivre. Travailler la dinde hachée avec vos mains jusqu'à ce qu'elle soit bien mélangée. Façonner des boulettes de 2 cm de diamètre (1 po) et les disposer sur une plaque à pâtisserie tapissée de papier d'aluminium. Cuire au four environ 12 minutes ou jusqu'à ce que les boulettes ne soient plus roses à l'intérieur.

2. Entre-temps, amener une grande casserole d'eau salée à ébullition.

3. Dans une autre grande casserole, cuire la sauce pour les pâtes, les pois chiches et le poivron vert à feu moyen. Ajouter les boulettes de viande et laisser mijoter pendant 15 minutes.

4. Cuire les pâtes à l'eau bouillante jusqu'à ce qu'elles soient *al dente*, environ 10 minutes. Disposer les boulettes dans un petit bol à servir. Égoutter les pâtes et les mettre dans la sauce pour pâtes en brassant pour bien les enrober. Servir avec les boulettes.

Donne 4 portions.

Préparation à l'avance : laisser refroidir les boulettes complètement et les congeler dans un contenant hermétique. Elles se conserveront pendant deux mois.

Conseil pratique : pour préparer votre propre sauce pour les pâtes, réduire en purée 2 boîtes de 796 ml (28 oz) de tomates italiennes. Verser la purée dans une casserole avec 1 oignon haché, 2 gousses d'ail émincées, 1 courgette hachée, 1 poivron rouge haché, 10 ml (2 c. à thé) d'origan séché et 2 ml (½ c. à thé) de sel et de poivre noir. Amener à ébullition et laisser mijoter environ 40 minutes, ou jusqu'à léger épaississement. La sauce se conserve au réfrigérateur jusqu'à une semaine et au congélateur jusqu'à un mois.

HARICOTS AU FOUR   `FEU VERT`

Normalement, les haricots au four contiennent beaucoup de sucre et de mélasse, ce qui augmente beaucoup la quantité de calories. Nous proposons une version qui a le même contenu en fibres et est tout aussi réconfortante et nourrissante, sans le sucre.

500 ml (2 tasses)	petits haricots ronds blancs secs
2 l (8 tasses)	eau
1 boîte de 796 ml (1 boîte de 28 oz)	tomates en dés
120 g (4 oz)	jambon Forêt noire maigre, haché
1	gros oignon finement haché
1 boîte de 156 ml (1 boîte de 5 oz)	pâte de tomates
60 ml (¼ tasse)	succédané de sucre brun
30 ml (2 c. à soupe)	moutarde de Dijon
15 ml (1 c. à soupe)	sauce Worcestershire
10 ml (2 c. à thé)	tabasco

| 2 ml (½ c. à thé) | sel |
| 2 ml (½ c. à thé) | poivre noir |

1. Rincer les haricots et les mettre dans un faitout rempli d'eau. Couvrir et laisser tremper toute la nuit. Le lendemain, égoutter et rincer les haricots.
2. Dans le même faitout, mettre les 8 tasses d'eau et les haricots et amener à ébullition. Baisser le feu, couvrir et laisser mijoter, en remuant de temps en temps, pendant environ 1 h 30 ou jusqu'à ce que les haricots soient tendres. Égoutter et réserver le liquide de cuisson.
3. Préchauffer le four à 150 °C (300 °F).
4. Dans un grand pot de grès ou le même faitout, mettre 250 ml (1 tasse) du liquide de cuisson réservé, les haricots, les tomates, le jambon, l'oignon, la pâte de tomates, le succédané de sucre brun, la moutarde, la sauce Worcestershire, le tabasco, le sel et le poivre. Couvrir et cuire au four, en remuant de temps en temps, pendant 2 h 30. Cuire ensuite à découvert pendant 1 h ou jusqu'à ce que la préparation ait épaissi.

Donne 8 portions.

Option trempage rapide : rincer les haricots et les mettre dans un faitout rempli d'eau. Amener à ébullition et cuire environ 2 minutes. Couvrir, retirer du feu et laisser reposer une heure. Égoutter et suivre les autres étapes de la recette.

Option mijoteuse : mettre les haricots cuits et le reste des ingrédients dans une mijoteuse et cuire à feu doux de 8 à 10 heures, ou à feu vif de 4 à 6 heures, ou jusqu'à ce que les haricots soient tendres.

SLOPPY JOES   FEU VERT

Voici un repas succulent pour le dîner et le souper. Il réjouit toute la famille les soirs d'hiver, ou après les parties de hockey du week-end. Servez les Sloppy Joes avec des légumes frais en bâtonnets et une trempette à l'hoummos.

450 g (1 lb)	bœuf haché extra-maigre
1	oignon haché
4	gousses d'ail émincées
1	poivron vert haché
½	piment jalapeño émincé
1 boîte de 540 ml (1 boîte de 19 oz)	haricots rouges égouttés et rincés
1 boîte de 796 ml (1 boîte de 28 oz)	tomates en dés
60 ml (¼ tasse)	flocons d'avoine à l'ancienne
15 ml (1 c. à soupe)	poudre de chili
10 ml (2 c. à thé)	sauce Worcestershire
4	moitiés de pain pita de blé entier
500 ml (2 tasses)	laitue romaine ou iceberg hachée
2	tomates hachées

1. Faire brunir le bœuf à feu moyen-vif dans une grande poêle à frire antiadhésive profonde ou un faitout, environ 8 minutes. Ajouter l'oignon, l'ail, le poivron vert et le piment jalapeño et cuire 5 minutes. Ajouter les haricots, les tomates, le gruau, la poudre de chili et la sauce Worcestershire et amener à ébullition. Baisser le feu et laisser mijoter, en remuant de temps en temps, jusqu'à ce que le mélange épaississe, environ 25 minutes.

2. Disposer le mélange Sloppy Joe dans les moitiés de pain pita et garnir de laitue et de tomates.

Donne de 4 à 6 portions.

Option plus maigre : vous pouvez utiliser de la dinde ou du poulet haché à la place du bœuf.

Option végétarienne : vous pouvez remplacer le bœuf par des légumes.

Option chili : pour servir ce plat comme un chili, réduisez simplement le temps de cuisson d'environ 15 minutes.

FETTUCINE AU STEAK   FEU VERT

L'idée de servir du steak avec des pâtes peut paraître démodée et incompatible avec le régime. Pas selon notre version. La viande est marinée dans une vinaigrette au poivre et servie en lanières sur des fettucine à la sauce tomate fraîche. Le résultat est un plat maigre, savoureux et suffisamment élégant pour être servi à des invités.

450 g (1 lb)	steak de haut de surlonge à griller
30 ml (2 c. à soupe)	moutarde de Dijon
10 ml (2 c. à thé)	assaisonnement aux herbes italiennes séchées
2 ml (½ c. à thé)	poivre noir
1 ml (¼ c. à thé)	sel
5 ml (1 c. à thé)	huile d'olive extra-vierge
2	échalotes grises en tranches fines
2	gousses d'ail émincées
5 ml (1 c. à thé)	origan séché
2 ml (½ c. à thé)	basilic séché
3	tomates hachées
1	poivron rouge en lamelles

1	poivron orange en lamelles
125 ml (½ tasse)	bouillon de bœuf (faible en matières grasses et en sel)
250 ml (1 tasse)	pois mange-tout parés
180 g (6 oz)	fettucine ou linguine de blé entier

1. Préchauffer le gril extérieur ou un plateau à grillades. Enlever l'excès de matières grasses du steak et le jeter.
2. Mélanger dans un petit bol la moutarde, l'assaisonnement aux herbes italiennes et le poivre noir. Étendre uniformément sur le steak. Mettre le steak sur la grille huilée à feu moyen-vif et griller environ 8 minutes, ou jusqu'à ce que l'intérieur de la viande soit à demi saignant. Tourner une fois. Déposer la viande dans une assiette, couvrir et garder au chaud.
3. Amener à ébullition une grande casserole d'eau salée.
4. Chauffer l'huile à feu moyen-vif dans une poêle à frire antiadhésive. Ajouter les échalotes, l'ail, l'origan et le basilic et cuire environ 5 minutes ou jusqu'à ce que les échalotes commencent à devenir dorées. Ajouter les tomates, les poivrons et le bouillon et amener à ébullition. Baisser le feu et laisser mijoter doucement environ 5 minutes ou jusqu'à ce que les tomates commencent à se défaire. Ajouter les pois mange-tout et cuire jusqu'à ce qu'ils deviennent vert brillant, environ 3 minutes. Incorporer 1 ml (¼ c. à thé) de sel.
5. Cuire les fettucine dans l'eau bouillante salée environ 10 minutes ou jusqu'à ce qu'ils soient *al dente*. Bien égoutter et remettre les pâtes dans la casserole. Enrober les pâtes de sauce. Mettre les pâtes dans un grand plat à servir. Trancher le steak en fines lanières dans le sens contraire des fibres et les disposer sur les fettucine. Servir immédiatement.

Donne 4 portions.

LASAGNE À LA VIANDE CLASSIQUE   FEU VERT

Dans les lasagnes traditionnelles, le fromage ajoute une délicieuse couche crémeuse – ainsi qu'un grand nombre de calories. Vous pouvez obtenir la même saveur riche avec une sauce béchamel feu vert.

450 g (1 lb)	bœuf ou veau haché extra-maigre
1	oignon haché fin
4	gousses d'ail émincées
240 g (8 oz)	champignons tranchés
2	courgettes parées et hachées
1	poivron rouge haché
1	poivron vert haché
15 ml (1 c. à soupe)	origan séché
2 ml (½ c. à thé)	piments rouges en flocons
125 ml (½ tasse)	bouillon de bœuf (faible en matières grasses et en sel)
2 boîtes de 796 ml (2 boîtes de 28 oz)	tomates italiennes en purée
1 ml (¼ c. à thé)	sel
1 ml (¼ c. à thé)	poivre noir
12	lasagnes de blé entier

Sauce béchamel

60 ml (¼ tasse)	huile de canola
125 ml (½ tasse)	farine de blé entier
1 l (4 tasses)	lait écrémé chaud
30 ml (2 c. à soupe)	parmesan râpé
1 ml (¼ c. à thé)	sel
1 ml (¼ c. à thé)	poivre noir
1	pincée de muscade

1. Cuire le bœuf haché, l'oignon et l'ail à feu moyen dans une poêle à frire antiadhésive profonde environ 8 minutes ou jusqu'à ce que la viande brunisse. Ajouter les champignons, les courgettes, les poivrons, l'origan et les piments rouges en flocons et cuire, en remuant de temps en temps, jusqu'à ce que l'oignon soit tendre, environ 10 minutes. Ajouter le bouillon et amener à ébullition. Cuire jusqu'à ce que le liquide évapore, puis ajouter la purée de tomates, le sel et le poivre et amener de nouveau à ébullition. Baisser le feu et laisser mijoter jusqu'à ce que la sauce épaississe, environ 30 minutes.

2. Amener une grande casserole d'eau salée à ébullition.

3. **Faire la sauce béchamel :** chauffer l'huile dans une casserole à feu moyen-vif. Incorporer la farine et cuire, en remuant, pendant 1 minute. Verser progressivement le lait et fouetter pour bien mélanger. Cuire, en fouettant délicatement, jusqu'à ce que le mélange épaississe, environ 5 minutes. Ajouter le parmesan, le sel, le poivre et la muscade. Retirer du feu.

4. Entre-temps, cuire les lasagnes dans l'eau bouillante salée jusqu'à ce qu'elles soient *al dente*, environ 10 minutes. Égoutter et rincer à l'eau froide. Disposer les nouilles à plat sur des linges à vaisselle humides et réserver. Préchauffer le four à 180 °C (350 °F).

5. Étendre à la louche 375 ml (1½ tasse) de sauce à la viande au fond d'un plat en verre allant au four de 23 cm x 33 cm (9 po x 13 po). Déposer 3 nouilles sur la sauce. Étendre 250 ml (1 tasse) de sauce à la viande, puis une couche de sauce béchamel. Continuer d'alterner les couches : nouilles, sauce à la viande, sauce béchamel, en finissant avec la sauce béchamel. Couvrir le plat de papier d'aluminium et le mettre sur une plaque à pâtisserie. Cuire au four pendant 45 minutes, puis

découvrir et cuire encore 15 minutes ou jusqu'à ce que les lasagnes bouillonnent. Laisser refroidir 10 minutes avant de servir.

Donne 8 portions.

Les collations

MUFFINS DÉCADENTS AU SON ET À LA POIRE

FEU VERT

Ces muffins sont gros et contiennent beaucoup de fibres. Ils sont «décadents», parce qu'ils débordent sur le moule. Alors pensez à graisser aussi le dessus de votre moule à muffins. Les morceaux de poire fraîche conservent aux muffins leur texture moelleuse.

250 ml (1 tasse)	céréales All-Bran
250 ml (1 tasse)	son de blé
375 ml (1½ tasse)	yogourt nature à 0 % M.G.
500 ml (2 tasses)	farine de blé entier
125 ml (½ tasse)	succédané de sucre brun
15 ml (1 c. à soupe)	levure chimique (poudre à pâte)
10 ml (2 c. à thé)	bicarbonate de soude
1 ml (¼ c. à thé)	sel
125 ml (½ tasse)	lait écrémé
60 ml (¼ tasse)	huile de canola
1	œuf
10 ml (2 c. à thé)	extrait de vanille
2	poires évidées et coupées en dés

1. Mélanger les céréales et le son de blé dans un bol. Incorporer le yogourt et laisser reposer 10 minutes.

2. Dans un autre bol, mélanger la farine, le succédané de sucre brun, la levure chimique, le bicarbonate de soude et le sel.

3. Ajouter le lait, l'huile, l'œuf et la vanille au mélange de son et bien remuer. Verser le tout sur la préparation de farine et remuer juste assez pour que l'ensemble soit homogène. Incorporer les poires.

4. Préchauffer le four à 190 °C (375 °F). Répartir la pâte dans le moule à muffins graissé ou tapissé de papier sulfurisé. Cuire jusqu'à ce que les dessus soient dorés et fermes au toucher, environ 25 minutes. Laisser refroidir sur une grille pendant 5 minutes. Retirer les muffins du moule et laisser refroidir complètement.

Donne 12 muffins.

Option fruits séchés : remplacer les poires par des canneberges séchées, des raisins secs, des abricots en dés ou des bleuets séchés.

Option bleuets : remplacer les poires par 500 ml (2 tasses) de bleuets frais.

Conservation : emballer chaque muffin individuellement dans une pellicule plastique et les congeler dans un contenant hermétique. Ils se conserveront pendant un mois. On peut aussi les conserver trois jours dans un contenant hermétique à la température ambiante.

MUFFINS AU SON ET AUX POMMES   `FEU VERT`

Ruth a conçu cette recette il y a plusieurs années, alors que j'essayais de maigrir. Nous avons fait une grande quantité de muffins et nous les avons congelés. Puis, chaque fois que j'avais besoin d'une collation, j'en réchauffais un au four à micro-ondes. C'était vraiment commode et inutile de dire qu'ils étaient délicieux.

	huile végétale en aérosol de cuisine
180 ml (¾ tasse)	céréales All-Bran ou Bran Buds
250 ml (1 tasse)	lait écrémé
160 ml (⅔ tasse)	farine de blé entier
80 ml (⅓ tasse)	succédané de sucre
10 ml (2 c. à thé)	levure chimique
2 ml (½ c. à thé)	bicarbonate de soude
1 ml (¼ c. à thé)	sel
5 ml (1 c. à thé)	piment de la Jamaïque moulu
2 ml (½ c. à thé)	clou de girofle moulu
375 ml (1½ tasse)	son d'avoine
160 ml (⅔ tasse)	raisins secs
1	grosse pomme pelée et coupée en cubes de 0,5 cm (¼ po)
1	œuf oméga-3 légèrement battu
10 ml (2 c. à thé)	huile végétale
125 ml (½ tasse)	compote de pommes (non sucrée)

1. Préchauffer le four à 180 °C (350 °F). Vaporisez un moule à 12 muffins avec l'huile végétale en aérosol de cuisine.
2. Mélanger les céréales et le lait écrémé dans un bol et laisser reposer quelques minutes.
3. Dans un grand bol, mélanger la farine, le succédané de sucre, la levure chimique, le bicarbonate de soude, le sel, le piment de la Jamaïque et le clou de girofle. Incorporer le son d'avoine, les raisins secs et la pomme.
4. Dans un petit bol, mélanger l'œuf, l'huile et la compote de pommes. Incorporer, en alternant avec le mélange au son, dans les ingrédients secs.

5. Répartir la pâte dans le moule à muffins préparé. Cuire au four jusqu'à ce que les muffins soient légèrement brunis, environ 20 minutes.

Donne 12 muffins.

BARRES DE CÉRÉALES MAISON   FEU VERT

Ces barres sont très nourrissantes et calment vraiment la faim.

330 ml (1⅓ tasse)	farine de blé entier
80 ml (⅓ tasse)	succédané de sucre
10 ml (2 c. à thé)	levure chimique
60 ml (¼ tasse)	céréales All-Bran ou Bran Buds
5 ml (1 c. à thé)	cannelle et piment de la Jamaïque moulus
2 ml (½ c. à thé)	gingembre et sel
375 ml (1½ tasse)	gruau à l'ancienne
250 ml (1 tasse)	abricots séchés, hachés finement
125 ml (½ tasse)	graines de tournesol décortiquées
180 ml (¾ tasse)	compote de pommes (non sucrée)
125 ml (½ tasse)	jus de pomme (non sucré)
3	œufs oméga-3
10 ml (2 c. à thé)	huile végétale

1. Préchauffer le four à 200 °C (400 °F). Tapisser de papier sulfurisé un plat allant au four peu profond de 20 cm x 30 cm (8 po x 12 po).

2. Dans un grand bol, mélanger la farine, le succédané de sucre, la levure chimique, les céréales, la cannelle, le piment de la Jamaïque, le gingembre et le sel. Incorporer le gruau, les abricots et les graines de tournesol.

3. Mélanger la compote de pommes, le jus de pomme, les œufs et l'huile et incorporer le tout au mélange de farine. Verser la pâte dans le plat préparé et la répartir uniformément.

4. Cuire au four jusqu'à ce que la préparation brunisse, de 15 à 20 minutes. Laisser refroidir et couper en 16 barres.

Donne 16 barres.

GÂTEAUX À L'AVOINE   FEU VERT

Ce régal écossais existe depuis longtemps. Traditionnellement, on faisait ces gâteaux sans sucre, mais, avec le temps, des versions sucrées ont vu le jour et tout le monde a été conquis. Vous pouvez les essayer sans le succédané de sucre pour voir quelle version vous préférez.

500 ml (2 tasses)	gruau à l'ancienne
250 ml (1 tasse)	farine de blé entier
125 ml (½ tasse)	son de blé
80 ml (⅓ tasse)	succédané de sucre
2 ml (½ c. à thé)	sel
125 ml (½ tasse)	margarine molle non hydrogénée
1	œuf légèrement battu
45 ml (3 c. à soupe)	eau

1. Mélanger le gruau, la farine, le son, le succédané de sucre et le sel dans un grand bol. À l'aide d'une cuillère de bois, incorporer la margarine jusqu'à la formation d'un mélange friable. Ajouter l'œuf et l'eau et mélanger jusqu'à l'obtention d'une pâte collante.

2. Préchauffer le four à 180 °C (350 °F). Diviser la pâte en 16 morceaux. Façonner chaque morceau en rondelles de

0,5 cm (¼ po) d'épaisseur et disposer les rondelles sur une plaque à pâtisserie tapissée de papier sulfurisé. Cuire au four 15 minutes. Retourner les gâteaux à l'avoine et les cuire de l'autre côté jusqu'à ce qu'ils soient fermes et dorés, environ 10 minutes.

Donne 16 gâteaux.

BARRES AUX BLEUETS   FEU VERT

Ces barres qui peuvent remplacer le petit-déjeuner contiennent beaucoup plus de fibres et beaucoup moins de calories que les barres du commerce. Vous pouvez les préparer durant le week-end et vous en régaler toute la semaine.

625 ml (2½ tasses)	bleuets congelés
60 ml (¼ tasse)	eau
30 ml (2 c. à soupe)	succédané de sucre
2 ml (½ c. à thé)	zeste de citron râpé
10 ml (2 c. à thé)	jus de citron frais
15 ml (1 c. à soupe)	fécule de maïs
250 ml (1 tasse)	gruau à l'ancienne
180 ml (¾ tasse)	farine de blé entier
180 ml (¾ tasse)	son de blé
125 ml (½ tasse)	succédané de sucre brun
1 ml (¼ c. à thé)	bicarbonate de soude
125 ml (½ tasse)	margarine molle non hydrogénée
45 ml (3 c. à soupe)	œufs liquides

1. Amener à ébullition les bleuets, l'eau, le succédané de sucre, le zeste et le jus de citron et la fécule de maïs, dans une casserole, à feu moyen. Cuire, en remuant, environ 2 minutes, ou jusqu'à ce que le mélange épaississe et bouillonne. Laisser refroidir.

2. Préchauffer le four à 180 °C (350 °F).
3. Mélanger dans un bol le gruau, la farine, le son, le succédané de sucre brun et le bicarbonate de soude. À l'aide d'une cuillère de bois, incorporer la margarine jusqu'à ce que le mélange ait un aspect grossièrement granuleux. Ajouter les œufs liquides et remuer jusqu'à ce que le mélange soit humide. Réserver ¾ du mélange pour le dessus. Presser le reste au fond d'une plaque à pâtisserie de 20 cm (8 po) tapissée de papier sulfurisé. Étendre la garniture aux bleuets. Couvrir du reste du mélange au gruau.
4. Cuire au four environ 30 minutes ou jusqu'à ce que la croûte soit dorée et que la garniture aux bleuets bouillonne sur les côtés. Laisser refroidir complètement avant de couper les barres.

Donne 24 barres.

Conservation : vous pouvez mettre les barres dans un contenant hermétique et les conserver jusqu'à cinq jours au réfrigérateur ou deux semaines au congélateur.

Les desserts

BISCUITS À L'AVOINE   FEU VERT

Ces biscuits mous constituent, avec un verre de lait, une modeste collation d'après-midi. Ils sont parfaits pour la boîte à lunch. Les enfants, comme les adultes, sont toujours heureux de trouver un biscuit dans leur casse-croûte.

500 ml (2 tasses)	gruau à l'ancienne
180 ml (¾ tasse)	farine de blé entier

125 ml (½ tasse)	son de blé
2 ml (½ c. à thé)	bicarbonate de soude
2 ml (½ c. à thé)	cannelle moulue
1	pincée de sel
250 ml (1 tasse)	succédané de sucre brun
125 ml (½ tasse)	margarine molle non hydrogénée
60 ml (¼ tasse)	œufs liquides
60 ml (¼ tasse)	eau
10 ml (2 c. à thé)	extrait de vanille
125 ml (½ tasse)	raisins de Corinthe secs (facultatif)

1. Mélanger dans un bol le gruau, la farine, le son, le bicarbonate de soude, la cannelle et le sel. Réserver.
2. Dans un autre bol, battre le succédané de sucre brun, la margarine, l'œuf liquide, l'eau et la vanille, jusqu'à l'obtention d'un mélange uniforme. Incorporer le mélange au gruau dans le mélange à la margarine, et bien brasser. Ajouter les raisins de Corinthe, le cas échéant, et bien mélanger. Préchauffer le four à 190 °C (375 °F).
3. Disposer la pâte à la cuillère sur une plaque à pâtisserie tapissée de papier sulfurisé et aplatir légèrement. Cuire jusqu'à ce que les biscuits soient fermes et dorés, environ 8 minutes. Répéter l'opération avec le reste de la pâte. Laisser refroidir sur une grille.

Donne environ 28 biscuits.

Conservation : les biscuits se conservent trois jours dans un contenant hermétique et jusqu'à trois mois au congélateur.

BARRES CROQUANTES
AUX ARACHIDES   FEU JAUNE

Voici une friandise croquante qui plaira à coup sûr à toute
la famille.

375 ml (1½ tasse)	gruau à l'ancienne
60 ml (¼ tasse)	arachides non salées hachées (facultatif)
125 ml (½ tasse)	son de blé
80 ml (⅓ tasse)	farine de blé entier
125 ml (½ tasse)	bicarbonate de soude et levure chimique
1	pincée de sel et de cannelle moulue
160 ml (⅔ tasse)	œufs liquides
125 ml (½ tasse)	beurre d'arachide crémeux (naturel, sans sucre ajouté)
60 ml (¼ tasse)	succédané de sucre brun
10 ml (2 c. à thé)	extrait de vanille

1. Mélanger dans un grand bol le gruau, les arachides (le
   cas échéant), le son de blé, la farine, le bicarbonate de
   soude, la levure chimique, le sel et la cannelle. Préchauffer le four à 180 °C (350 °F).

2. Dans un autre bol, battre les œufs liquides, le beurre
   d'arachide, le succédané de sucre brun et la vanille
   jusqu'à l'obtention d'un mélange uniforme. Ajouter le
   mélange au gruau et bien brasser. Verser la pâte sur une
   plaque à pâtisserie carrée de 20 cm (8 po) tapissée de
   papier sulfurisé. Presser le mélange avec les mains
   légèrement mouillées de manière à l'aplatir uniformément. Cuire au four environ 12 minutes ou jusqu'à ce

que le mélange soit ferme au toucher. Laisser refroidir et couper en barres.

Donne 12 barres.

BISCUITS AU CHOCOLAT À LA CUILLÈRE

`FEU VERT`

Ces biscuits crémeux sont merveilleux trempés dans un verre de lait. Bien que l'ajout de haricots puisse sembler étrange, croyez-moi, ceux-ci confèrent aux biscuits leur texture tendre et glissent en douce quelques fibres supplémentaires.

125 ml (½ tasse)	haricots blancs cuits
15 ml (1 c. à soupe)	son de blé
60 ml (¼ tasse)	lait écrémé, plus 30 ml (2 c. à soupe)
80 ml (⅓ tasse)	margarine molle non hydrogénée
180 ml (¾ tasse)	farine de blé entier
125 ml (½ tasse)	succédané de sucre
80 ml (⅓ tasse)	cacao en poudre non sucré
1	œuf
10 ml (2 c. à thé)	extrait de vanille
2 ml (½ c. à thé)	bicarbonate de soude

1. Mettre les haricots blancs, le son de blé et 30 ml (2 c. à soupe) de lait écrémé dans un robot culinaire et réduire en purée jusqu'à l'obtention d'un mélange homogène. Réserver.

2. Mettre la margarine, la farine, le succédané de sucre, la purée de haricots, le cacao en poudre, le reste du lait écrémé, l'œuf, la vanille et le bicarbonate de soude dans un bol et bien battre.

3. Préchauffer le four à 190 °C (375 °F). Déposer la pâte par cuillerées sur une plaque à pâtisserie tapissée de papier sulfurisé. Cuire au four environ 10 minutes ou jusqu'à ce que les biscuits soient fermes au toucher. Laisser reposer sur une grille.

Donne environ 24 biscuits.

BISCOTTES AUX AMANDES ET AU CHOCOLAT

FEU VERT

Ces biscottes ressemblent à des biscotti, car elles sont cuites deux fois. Les adultes et les enfants les adorent et elles se conservent bien. Vous pouvez ajouter 60 ml (¼ tasse) de canneberges ou de raisins secs pour donner de la couleur aux biscottes et en rehausser la saveur.

60 ml (¼ tasse)	margarine molle non hydrogénée
125 ml (½ tasse)	succédané de sucre
125 ml (½ tasse)	œufs liquides
20 ml (4 c. à thé)	extrait de vanille
1 ml (¼ c. à thé)	extrait d'amande (facultatif)
125 ml (½ tasse)	cacao non sucré
125 ml (½ tasse)	son de blé
60 ml (¼ tasse)	germe de blé
125 ml (½ tasse)	farine de blé entier
10 ml (2 c. à thé)	levure chimique
1	pincée de sel
125 ml (½ tasse)	amandes effilées

1. Réduire en crème dans un grand bol la margarine et le succédané de sucre. Incorporer en battant les œufs liquides, la vanille et l'extrait d'amande, le cas échéant. Incorporer en battant le cacao, le son de blé, le germe de blé, la moitié de

la farine, la poudre à pâte et le sel. Incorporer le reste de la farine et ajouter les amandes à la main.

2. Préchauffer le four à 180 °C (350 °F).

3. Façonner la pâte en deux bûches d'environ 25 cm (10 po) de longueur chacune et les disposer sur une plaque à pâtisserie tapissée de papier sulfurisé. Aplatir légèrement chaque bûche.

4. Cuire au four pendant 20 minutes, ou jusqu'à ce que les bûches soient fermes. Laisser refroidir la plaque sur une grille pendant 15 minutes. Baisser le four à 150 °C (300 °F). À l'aide d'un couteau, couper chaque bûche en diagonale et en tranches de 1 cm (½ po). Mettre les tranches sur une plaque à pâtisserie, côté coupé vers le bas. Cuire au four jusqu'à ce que les biscottes soient croustillantes, environ 15 minutes. Retourner une fois. Laisser refroidir complètement avant de servir.

Donne environ 24 biscottes.

Conservation : les biscottes se conservent jusqu'à cinq jours dans un sac de plastique réutilisable ou un contenant hermétique à la température ambiante ou jusqu'à un mois au congélateur.

PARFAIT AU YOGOURT ET AUX FRUITS   FEU VERT

Vous vous régalerez de ces parfaits au petit-déjeuner, en collation ou comme dessert. Utilisez les fruits de saison : les bleuets, les fraises et les pommes donnent tous d'excellents résultats.

500 ml (2 tasses)	gruau à l'ancienne
125 ml (½ tasse)	germe de blé
80 ml (⅓ tasse)	son de blé

60 ml (¼ tasse)	amandes effilées
60 ml (¼ tasse)	graines de tournesol décortiquées non salées
30 ml (2 c. à soupe)	succédané de sucre
15 ml (1 c. à soupe)	huile de canola
15 ml (1 c. à soupe)	eau
10 ml (2 c. à thé)	zeste d'orange râpé
5 ml (1 c. à thé)	extrait de vanille
1	pincée de sel
125 ml (½ tasse)	raisins ou canneberges séchés
750 g (1½ lb)	yogourt à 0 % M.G. aux fruits, avec succédané de sucre
500 ml (2 tasses)	fruits frais, hachés ou baies

1. Mélanger dans un grand bol le gruau, le germe de blé, le son de blé, les amandes et les graines de tournesol.
2. Préchauffer le four à 150 °C (300 °F).
3. Dans un petit bol, fouetter ensemble le succédané de sucre, l'huile, l'eau, le zeste d'orange, la vanille et le sel. Incorporer le tout au mélange de gruau. Disposer la préparation sur une grande plaque à pâtisserie tapissée de papier sulfurisé et cuire au four environ 30 minutes ou jusqu'à l'obtention d'une couleur brun doré. Laisser refroidir complètement. Ajouter les raisins secs et remuer.
4. Dans un grand bol à servir, étendre 1 tasse de yogourt, puis la moitié du mélange de céréales. Répéter l'opération une fois et terminer avec le reste du yogourt. Disposer les fruits sur le dessus.

Donne 6 portions.

Conservation : couvrir et réfrigérer jusqu'à deux jours. Noter que le mélange ramollit lorsque le parfait est monté.

Conservation du mélange : le mélange de céréales se conserve jusqu'à trois jours dans un sac de plastique réutilisable ou un contenant hermétique à la température ambiante.

Option fromage de yogourt : vous pouvez remplacer le yogourt par du fromage de yogourt (page 194).

GÂTEAU AU FROMAGE
SANS CROÛTE, GLACÉ AUX FRUITS   FEU VERT

La meilleure partie du gâteau au fromage, c'est la riche garniture. Nous avons donc éliminé la croûte et nous sommes concentrés sur le centre et la couche supérieure. Vous pouvez changer le glaçage selon les fruits de la saison.

450 g (1 lb)	fromage cottage 1 %
250 g (½ lb	fromage à la crème à 0 % de M.G., ramolli
250 ml (1 tasse)	yogourt aux fruits à 0 % M.G. avec succédané de sucre
180 ml (¾ tasse)	succédané de sucre
60 ml (¼ tasse)	fécule de maïs
2	blancs d'œufs
15 ml (1 c. à soupe)	extrait de vanille
1	pincée de sel

Glaçage aux fruits

1 l (4 tasses)	framboises, fraises ou bleuets frais, tranchés
10 ml (2 c. à thé)	jus de citron frais succédané de sucre

1. Réduire le fromage cottage en purée dans un robot culinaire, jusqu'à ce qu'il soit très crémeux. Ajouter le fromage à la crème et battre jusqu'à l'obtention d'un

mélange homogène. Ajouter le yogourt, le succédané de sucre, la fécule de maïs, les blancs d'œufs, la vanille et le sel et battre de nouveau jusqu'à l'obtention d'un mélange crémeux.

2. Préchauffer le four à 160 °C (325 °F).

3. Verser la pâte dans un moule à charnière de 20 cm ou 23 cm (8 po ou 9 po) graissé et tapissé de papier sulfurisé. Envelopper le moule de papier d'aluminium de manière à en couvrir le fond et les côtés. Mettre le moule dans une grande rôtissoire contenant de l'eau chaude jusqu'à la mi-hauteur du moule à charnière.

4. Cuire au four jusqu'à ce que de petits coups frappés sur le moule agitent légèrement le centre, environ 40 minutes. Fermer le feu et passer un petit couteau le long du bord du moule. Laisser reposer le gâteau dans le four qui refroidit environ 30 minutes encore. Déposer le gâteau sur une grille et laisser refroidir à la température ambiante. Couvrir et réfrigérer environ 2 heures.

5. **Glaçage aux fruits :** entre-temps, mélanger dans un grand bol les framboises, le jus de citron et le succédané de sucre au goût. Couper le gâteau au fromage en quartiers et servir avec le glaçage aux fruits.

Donne 8 portions.

Conservation : couvert, le gâteau se conserve au réfrigérateur jusqu'à trois jours.

POIRES CROQUANTES AUX AMANDES FEU VERT

Ce dessert termine un dîner de fête en beauté. La croûte croquante aux amandes contraste agréablement avec la chair tendre des poires.

250 ml (1 tasse)	yogourt nature à 0 % M.G.
60 ml (4 c. à soupe)	succédané de sucre
2 ml (½ c. à thé)	zeste d'orange râpé (facultatif)
180 ml (¾ tasse)	amandes tranchées
30 ml (2 c. à soupe)	germe de blé
4	poires Bartlett ou Bosc mûres évidées
30 ml (2 c. à soupe)	œufs liquides
125 ml (½ tasse)	nectar ou jus de poire

1. **Préparer le fromage de yogourt :** mettre le yogourt dans un tamis tapissé de mousseline ou d'un filtre à thé. Placer le tamis sur un bol. Couvrir d'une pellicule plastique et réfrigérer entre 1 heure et 4 heures. Jeter le liquide qui s'est égoutté et mettre le fromage de yogourt dans un autre bol. Ajouter 30 ml (2 c. à soupe) de succédané de sucre avec le zeste d'orange et bien mélanger. Couvrir d'une pellicule plastique et réfrigérer.

2. Écraser légèrement les amandes à la main, puis les placer dans un bol peu profond. Ajouter le germe de blé et le reste du succédané de sucre et mélanger.

3. Préchauffer le four à 200 °C (400 °F). Farcir les poires du mélange aux amandes sans serrer. Enduire chaque poire d'une légère couche d'œuf liquide, puis rouler et presser les poires dans le mélange aux amandes. Mettre les poires à la verticale dans un plat de cuisson carré de 20 cm (8 po). Verser le nectar de poire au fond du plat et répandre le reste du mélange d'amandes dans le plat. Couvrir légèrement le plat de papier d'aluminium et cuire au four environ 30 minutes ou jusqu'à ce qu'un couteau pénètre facilement dans les poires. Retirer le papier d'aluminium et cuire jusqu'à ce que la croûte soit dorée et que les liquides de cuisson aient épaissi, environ 10 minutes. Laisser refroidir légèrement. Servir

les poires avec un peu du jus de cuisson et le fromage de yogourt.

Donne 4 portions.

PAVLOVA AUX FRUITS   FEU VERT

Les pavlovas sont des meringues garnies de crème fouettée et de fruits. Nous remplaçons la crème fouettée par du tofu et du fromage de yogourt. C'est délicieux !

8	blancs d'œufs
2 ml (½ c. à thé)	crème de tartre
1	pincée de sel
180 ml (¾ tasse)	succédané de sucre
30 ml (2 c. à soupe)	fécule de maïs
10 ml (2 c. à thé)	extrait de vanille

Garniture aux fruits

300 g (10 oz)	tofu à texture fine, égoutté
250 ml (1 tasse)	fromage de yogourt (page 192)
60 ml (¼ tasse)	succédané de sucre
2 ml (½ c. à thé)	zeste d'orange râpé
1 l (4 tasses)	fruits mélangés (ex. : baies fraîches et quartiers d'orange ou de pêche)
30 ml (2 c. à soupe)	menthe fraîche, hachée

1. Mettre les blancs d'œufs dans un grand bol et fouetter avec un batteur électrique jusqu'à la formation de mousse. Ajouter la crème de tartre et le sel et fouetter jusqu'à la formation de pics mous. Ajouter graduellement le succédané de sucre et fouetter jusqu'à ce que les pics deviennent fermes. Incorporer la fécule de maïs et la vanille.

2. Préchauffer le four à 135 °C (275 °F). Étendre le mélange sur une plaque à pâtisserie ronde de 20 cm (8 po), tapissée de papier sulfurisé. Élever les bords légèrement plus haut que le centre, de manière à former une coquille. Cuire au four jusqu'à ce que la meringue soit dorée, environ 40 minutes. Fermer le feu et laisser reposer la meringue dans le four pendant 1 heure. Retirer du four et disposer la meringue sur un grand plat de service.

3. **Préparer la garniture aux fruits :** entre-temps, mélanger dans un grand bol le tofu, le fromage de yogourt, le succédané de sucre et le zeste d'orange. Verser ce mélange dans la coquille de meringue et napper de la garniture aux fruits. Parsemer de menthe avant de servir.

Donne de 8 à 10 portions.

Conservation : vous pouvez préparer la coquille pavlova quatre heures à l'avance. N'ajoutez pas la garniture aux fruits plus d'une heure avant de servir.

RÉGAL AUX BLEUETS CONGELÉS　　　FEU VERT

Ce régal piquant au yogourt a le goût de sorbet aux bleuets. Vous pouvez le préparer à l'aide d'une sorbetière si vous en avez une.

125 ml (½ tasse)	eau
125 ml (½ tasse)	succédané de sucre
750 ml (3 tasses)	bleuets congelés
250 ml (1 tasse)	yogourt nature à 0 % M.G.

1. Amener l'eau et le succédané de sucre à ébullition dans une casserole à feu moyen. Retirer du feu et refroidir complètement.

2. Entre-temps, réduire les bleuets en purée dans un robot culinaire ou un mélangeur. Ajouter le yogourt et battre pour mélanger. Ajouter le mélange de succédané de sucre et d'eau et battre pour mélanger. Verser dans un moule à gâteau en métal de 20 cm x 23 (8 po x 9 po) cm et congeler jusqu'à ce que la préparation devienne ferme, environ 2 heures. Couper en morceaux et mettre progressivement les morceaux dans le robot culinaire. Réduire en purée jusqu'à l'obtention d'un mélange homogène, verser le mélange dans un contenant hermétique et congeler.

3. Avant de servir, mettre le régal glacé dans le réfrigérateur 15 minutes pour qu'il ramollisse légèrement.

Donne environ 750 ml (3 tasses).

Conservation : le régal aux bleuets se conserve une semaine au congélateur dans un contenant hermétique.

Un exemple de menu feu vert pour une semaine

Lundi

Petit-déjeuner	Gruau (page 101)
	Thé ou thé déthéiné
Collation	Muffin au son et aux pommes (page 180)
	Verre de lait écrémé
Dîner	Salade niçoise (page 142)
	1 tranche de pain de blé entier
Collation	Fromage cottage 1 % avec des quartiers
	d'orange et quelques amandes
Souper	Lasagne à la viande classique (page 177)
	Salade verte

Collation	Régal aux bleuets congelés (page 196)
	Barre de céréales maison (page 182)
	Verre de lait écrémé

Mardi

Petit-déjeuner	Müesli maison (page 101)
	Orange
	Thé ou thé déthéiné
Collation	2 biscottes aux amandes et au chocolat (page 189)
	Tranches de poire
	Verre de lait écrémé
Dîner	Soupe au chou-fleur et aux pois chiches (page 138)
	1 tranche de pain de blé entier avec 120 g (4 oz) de poitrine de dinde, moutarde, concombres, tomates et laitue
Collation	Fromage La vache qui rit maigre avec céleri, carottes et tomates cerises
Souper	Poulet Jambalaya (page 169)
	Riz basmati
	Salade verte
	Baies et yogourt à 0 % M.G.
Collation	2 biscuits à l'avoine (page 185)
	Verre de lait écrémé

Mercredi

Petit-déjeuner	Petit-déjeuner sur le pouce (page 102)
	Thé ou thé déthéiné
Collation	Muffin au son et aux pommes (page 180)
	Verre de lait écrémé
Dîner	Salade Waldorf au poulet et au riz (page 108)

	Raisins
Collation	Barre de céréales maison (page 182)
	Verre de lait écrémé
Souper	Sloppy Joes (page 174)
	Hoummos avec des concombres, du brocoli et des lanières de poivrons
	2 biscuits à l'avoine (page 185)
Collation	2 biscottes aux amandes et au chocolat (page 189)
	Verre de lait écrémé

Jeudi

Petit-déjeuner	Gruau (page 101)
	Thé ou thé déthéiné
Collation	Muffin décadent au son et à la poire (page 179)
	Verre de lait écrémé
Dîner	Salade César aux crevettes (page 146)
	Pêches dans le jus en conserve
Collation	Fromage La vache qui rit avec 2 pains suédois Wasa aux fibres
Souper	Sauté asiatique (page 113)
	Riz basmati
	Parfait au yogourt et aux fruits (page 190)
Collation	2 barres aux bleuets (page 184)
	Verre de lait écrémé

Vendredi

Petit-déjeuner	Müesli maison (page 101)
	Orange
	Thé ou thé déthéiné
Collation	2 biscottes aux amandes et au chocolat (page 189)
	Tranches de poire

	Verre de lait écrémé
Dîner	Salade de légumineuses mélangées (page 107)
	Raisins
Collation	Fromage cottage 1 % avec un fruit et des amandes
Souper	Poisson blanc grillé sauce mandarine (page 162)
	Pommes de terre nouvelles bouillies
	Haricots verts
	Salade verte
	250 ml (½ tasse) de crème glacée faible en matières grasses, sans sucre ajouté
Collation	Muffin décadent au son et à la poire (page 179)
	Verre de lait écrémé

Samedi

Petit-déjeuner	Omelette mexicaine (page 104)
	Tranches de pamplemousse
	Thé ou thé déthéiné
Collation	Yogourt nature à 0 % M.G. saupoudré de Bran Buds
Dîner	Sandwich Reuben ouvert au poulet (page 164)
	Petite salade verte
	Verre de lait écrémé
Collation	2 barres aux bleuets (page 184)
	Verre de lait écrémé
Souper	Fettucine au steak (page 175)
	Salade verte
	Pavlova aux fruits (page 195)
Collation	2 biscuits à l'avoine (page 185)
	Verre de lait écrémé

Dimanche

Petit-déjeuner	Œufs aux épinards et jambon (page 135)
	Thé ou thé déthéiné
Collation	Fromage La vache qui rit avec 2 pains suédois Wasa aux fibres
Dîner	Pizza aux haricots et à l'oignon (page 149)
	Petite salade verte
	Poire
	Verre de lait écrémé
Collation	Hoummos avec des concombres et des carottes miniatures
Souper	Poitrine de dinde farcie aux épinards (page 167)
	Pommes de terre nouvelles bouillies
	Brocoli
	Salade verte
	Poire croquante aux amandes (page 193)
Collation	Barre de céréales maison (page 182)
	Verre de lait écrémé

Cher Rick,
Je suis le régime I. G. depuis janvier et j'ai perdu 13 (28 lb) kilos. Je suis fier de moi et j'ai hâte de pouvoir aller me baigner cet été sans me préoccuper de mon apparence... Sincèrement, ce régime est l'une des plus belles choses qui me soient arrivées dans la vie, et je suis persuadé que je ne reprendrai plus jamais mes anciennes habitudes alimentaires... Je n'aurais jamais cru que j'aimerais les fruits et les légumes comme je les aime maintenant. Il suffit d'essayer et d'avoir l'esprit bien disposé. Le miroir n'est plus mon ennemi !
Tim

CHAPITRE NEUF

L'exercice

Tout le monde croit que l'exercice est un élément essentiel à tout programme d'amaigrissement. Les résultats de recherches récentes indiquent qu'en fait ce n'est pas le cas. Bien que l'augmentation du degré d'activité entraîne inévitablement une plus grande dépense de calories, l'effet net sur la période relativement courte de perte de poids (en général de 12 à 24 semaines) est peu important. Pour perdre seulement un demi-kilo de lipides, par exemple, une personne qui pèse 72 kg devrait marcher 68 km d'un bon pas (6,5 km à l'heure). Par contre, à long terme, l'exercice contribue considérablement au maintien du nouveau poids. Si vous marchiez d'un bon pas pendant une demi-heure chaque jour, sept jours par semaine, vous dépenseriez l'équivalent de 9 kg de lipides par année. Autrement dit, l'exercice n'est pas essentiel dans la phase I de votre programme d'amaigrissement, mais c'est un élément important dans la phase II, pendant laquelle vous conservez votre nouveau poids.

L'exercice occupe une place importante dans ma vie depuis que, à l'âge de 38 ans, j'ai été humilié par mon fils de 7 ans. Il m'a défié à la course autour du pâté de maisons et il m'a battu à plate couture. Je sais que l'exercice est un sujet dont de nombreuses personnes refusent d'entendre parler. Quoi qu'il en soit, avant de sauter au chapitre suivant, lisez l'encadré ci-dessous. Si vous n'êtes toujours pas convaincu que vous devez continuer à lire, ce chapitre n'est pas pour vous.

FAIRE RÉGULIÈREMENT DE L'EXERCICE

1) contribue au maintien du poids ;
2) réduit considérablement les risques de maladies cardiaques, d'accidents vasculaires cérébraux, de diabète et d'ostéoporose ;
3) améliore le bien-être mental et stimule l'estime de soi ;
4) aide à mieux dormir.

J'invite les téléphages que la curiosité a poussés à continuer de lire jusqu'ici à rester avec nous pour voir si l'une ou l'autre des objections suivantes à l'exercice régulier leur est familière : « C'est douloureux », « C'est ennuyeux », « Je n'ai pas le temps ». Nous allons aborder ces trois objections de front.

Examinons premièrement l'excuse fondée sur la douleur ou l'inconfort. La plupart du temps, les personnes qui la formulent ont un jour essayé d'en faire trop, trop vite. Les sous-sols du monde entier sont pleins d'appareils d'exercice achetés dans un moment d'enthousiasme, probablement associé aux résolutions du Nouvel An. Quelques semaines plus tard, les muscles endoloris, les fesses sensibles et les poumons en feu ont relégué la bicyclette d'exercice ou autre appareil bizarre à un sombre débarras, où l'on range les choses qui « pourraient servir un de ces jours ». Cela vous rappelle-t-il quelque chose ?

Pour éviter d'avoir mal, il faut commencer modestement et augmenter le rythme progressivement. Il y a 10 ans, je faisais du jogging régulièrement. Je courais de 40 à

50 kilomètres par semaine. Malheureusement, à cause d'un problème de disque dorsal (qui n'avait rien à voir avec le jogging), j'ai cessé de courir pendant neuf ans. Bien que je sois demeuré assez mince durant ces neuf années, j'ai été stupéfait de constater les difficultés causées par la reprise du jogging. Le premier jour, je suis sorti de la maison avec enthousiasme dans mes nouvelles chaussures de course. J'ai dû m'arrêter après 800 m, à bout de souffle, les poumons en feu, les genoux douloureux, des spasmes dans les muscles du mollet. Vous vous dites sans doute : « Bien fait pour lui », en songeant que l'exercice est décidément une option douloureuse.

Si je vous raconte cette histoire, c'est parce que j'ai appris la leçon à mes dépens. Le jogging est un merveilleux exercice, mais il est extrêmement exigeant pour le corps, surtout lorsqu'on a plus de 40 ans. Après avoir atteint cette catégorie d'âge, j'ai dû trouver un autre exercice qui demande moins d'effort physique et qui était plus compatible avec les réalités de mon corps vieillissant. J'ai décidé de commencer à marcher. Presque tout le monde peut marcher, et si vous y allez progressivement, vous verrez que c'est sans douleur (voir page 211).

La deuxième objection à l'exercice est l'ennui. J'y suis très sensible. Quoique certains types d'exercice, comme le jogging, la marche et la bicyclette, soient rarement ennuyeux, puisqu'ils se pratiquent à l'extérieur – sauf si vous n'éprouvez aucun intérêt pour les gens, leur occupation et leur lieu de résidence –, les hivers canadiens peuvent avoir un effet dissuasif. Les neuf années que j'ai passées dans le sous-sol sur ma bicyclette d'exercice et mon tapis roulant ont été plus qu'éprouvantes. Je reconnais qu'il y avait d'autres options. De nombreuses personnes ont recours aux centres de culture physique, à la fois pour la motivation (« J'ai payé mon abonnement, alors je dois rentabiliser mon investissement.») et pour l'interaction sociale et l'encouragement mutuel. Certaines personnes bien nanties ont des entraîneurs personnels, mais il s'agit d'une option irréaliste pour la plupart d'entre nous.

J'ai donc choisi le sous-sol, puisqu'il n'y avait pas de centre de culture physique dans les environs. Ma solution pour contrer l'ennui inhérent s'est présentée sous la forme d'un vieux téléviseur que les enfants avaient abandonné en quittant le nid et d'un vieux magnétoscope à cassettes qui n'avait que la fonction « repasser ». J'enregistrais les émissions et les films qui passaient entre minuit et six heures du matin sur le magnétoscope de la famille et ils m'ont servi de divertissement. J'ai pédalé et skié en écoutant des films de James Bond, des émissions sur la technique de construction d'un bungalow et des documentaires sous-marins de Jacques Cousteau. Je ne me suis pas ennuyé une seule seconde. En fait, j'étais parfois tellement captivé par les émissions que je poursuivais mes exercices bien au-delà du temps prévu. Quand on fait des exercices à l'intérieur, il suffit d'un peu d'ingéniosité pour rendre la chose plus intéressante (on n'a parfois besoin de rien d'autre qu'un baladeur).

La dernière objection est le manque de temps. Il y a 336 périodes de 30 minutes chaque semaine. Prenez-en 2 %, ou 7 de ces périodes, et utilisez-en une chaque jour. Cela peut difficilement être une allocation déraisonnable de votre temps, surtout si vous songez aux avantages : vous serez plus mince, plus en forme, en meilleure santé ! Je vous conseille de viser 30 minutes par jour, mais je sais que plusieurs d'entre vous souhaiteront augmenter cette modeste portion de temps, lorsque vous constaterez l'amélioration remarquable qu'elle procure.

Quant au moment de la journée que vous devriez consacrer à l'exercice, il y a deux camps distincts : ceux qui sont plus en forme très tôt le matin et ceux qui se réchauffent durant la journée pour atteindre leur sommet durant la soirée. Je vous recommande fortement de choisir le moment de votre activité d'exercice selon le camp dans lequel vous vous trouvez. Chez nous, c'est moi qui suis matinal. Je ne peux pas imaginer faire de l'exercice à la fin de la journée, lorsque mon ressort se détend. À l'inverse, ma femme appréhende le matin et est en pleine activité lorsque nous rentrons à la maison le soir. Inutile de dire que nous ne faisons pas d'exercices ensemble. Alors, choisissez le moment qui vous convient le mieux : soit le matin en sautant du lit pour saluer l'aube, soit le soir pour évacuer les tensions accumulées durant la journée. D'une manière ou d'une autre, l'exercice sera un élément agréable de votre routine quotidienne.

De nombreuses personnes constatent, à mesure que leur forme physique s'améliore, qu'elles dorment mieux, qu'elles se sentent plus reposées à leur réveil et qu'elles prennent moins de temps à se sortir du lit. Par le fait même, elles disposent de plus de temps pour faire de l'exercice, ce qui diminue la contrainte par rapport à la journée.

Par «faire de l'exercice», nous entendons l'exercice aérobique ou «cardio», qui stimule le rythme cardiaque et oblige à respirer plus fort. Avant d'examiner les options et de commencer, parlons un peu plus des motifs pour lesquels nous faisons de l'exercice.

La perte et le maintien du poids

Il importe avant tout de préciser un point : l'exercice ne remplace pas le régime. Le régime a un effet beaucoup plus considérable sur le processus d'amaigrissement que l'exercice. J'ai compris cela à l'occasion de la course annuelle à l'aviron entre les universités Oxford et Cambridge sur la Tamise. L'aviron, à l'instar du water-polo, se classe comme l'activité d'endurance la plus éprouvante pour le corps et la course se déroule sur plus de 6,5 kilomètres. J'ai été étonné de découvrir que chaque rameur dépensait en calories l'équivalent d'une tablette de chocolat durant la course ! De toute évidence, une énorme dépense d'énergie est nécessaire pour compenser nos mauvaises habitudes alimentaires. L'exercice est néanmoins un complément essentiel du régime. La combinaison des deux donnera lieu à une perte de poids optimale et, ce qui est encore plus important, contribuera au maintien du nouveau poids santé.

L'exercice fonctionne exactement de la même façon que le régime dans la réduction ou le maintien du poids. Lorsque l'on dépense plus d'énergie (de calories) que l'on en consomme, le corps épuise les réserves d'énergie (les lipides) pour compenser le manque. L'exercice brûle les calories. En fait, chaque action que l'on exécute entraîne une dépense de calories. Alors, monter l'escalier plutôt que de prendre l'ascenseur, descendre de l'autobus un ou deux arrêts avant la destination, stationner le plus loin possible du centre commercial ou du supermarché exige une activité supplémentaire par rapport à la routine habituelle, qui donne lieu à une dépense de calories supplémentaires. Comme nous l'avons déjà mentionné, si vous marchiez d'un bon pas une demi-heure par jour, vous perdriez automatiquement environ 9 kg par année. Comment cela ? Une marche rapide consomme approximativement 200 calories supplémentaires. Multipliez ce chiffre par 365 jours, et vous obtiendrez 72 000 calories ou 9 kg (1 kg = 8 000 calories).

Note : la marche de 30 minutes (2,5 kilomètres) qui brûle 200 calories se rapporte à une personne qui pèse 68 kg. Les personnes plus lourdes dépensent plus de calories en 30 minutes et les moins lourdes en consomment moins.

Une personne de 90 kg brûle 220 calories et une personne de 58 kg, 175 calories. Et plus on marche vite, plus on dépense de calories.

L'exercice a deux autres avantages dans l'amaigrissement et le maintien du poids. D'abord, l'exercice élève le métabolisme – le degré de transformation des calories – *même après que l'exercice est terminé*. En d'autres termes, les bienfaits durent toute la journée. L'exercice le matin est particulièrement bénéfique, parce qu'il établit le rythme du métabolisme pour la journée.

Le second avantage est que l'exercice édifie la masse musculaire. À partir de l'âge de 25 ans, le corps perd 1,5 % de sa masse musculaire chaque année. Cette masse musculaire se transforme en graisse. Lorsque les hommes atteignent 60 ans et les femmes 40, la perte musculaire s'accélère. Les régimes à teneur élevée en protéines peuvent accélérer davantage cette perte. Grâce à l'exercice musculaire régulier, la perte peut être minimisée ou inversée. Pourquoi est-ce important ? Parce que les muscles dépensent beaucoup plus d'énergie que les tissus adipeux. Plus les muscles sont gros, plus ils consomment d'énergie (de calories). Lorsque nous sommes au repos, même lorsque nous dormons, nos muscles consomment de l'énergie. Par conséquent, le maintien ou l'édification de la masse musculaire nous aide vraiment à dépenser des calories et à perdre du poids.

Bien que l'exercice régulier contribue à réduire la perte de masse musculaire, ce sont les exercices contre résistance qui édifient la masse musculaire. Dans le cas des exercices contre résistance, on se sert de poids, de bandes élastiques ou d'appareils hydrauliques pour faire travailler les muscles. Vous imaginez peut-être avec effroi des culturistes en sueur qui s'imposent des séances d'exercice pénibles et interminables avec de lourds haltères et d'autres équipements inquiétants. Toutefois, comme nous le démontrerons plus loin, ce n'est pas forcément comme cela. Quelques exercices simples feront merveille pour tonifier et restaurer les muscles flasques.

Nous traiterons au chapitre 10 des autres avantages de l'exercice pour la santé, lorsque nous examinerons l'effet du poids sur la santé, particulièrement sur les maladies cardiaques et les accidents vasculaires cérébraux, qui sont à l'origine de 4 décès sur 10 en Amérique du Nord.

La préparation

Maintenant que vous avez acquis la conviction que vous devez faire de l'exercice, comment allez-vous vous y préparer ?

1. Choisissez un exercice qui vous convient. Le moyen le plus rapide d'abandonner un programme d'exercice, c'est de faire quelque chose qui vous déplaît. Il est préférable de choisir un exercice qui sollicite les plus grands groupes de muscles, c'est-à-dire les jambes, les abdominaux et le bas du dos. Ceux-ci consomment plus de calories par leur seule dimension. La marche, le jogging et la bicyclette sont d'excellents choix.

2. Sollicitez l'appui de votre famille et de vos amis. Si possible, trouvez une personne prête à vous accompagner pour vous encourager.

3. Fixez des objectifs et prenez des notes. Vous trouverez à la fin du livre (voir page 259) un journal d'exercices détachable qui vous aidera à garder le cap. Mettez-le sur le réfrigérateur ou dans la salle de bains.

4. Demandez à votre médecin s'il approuve votre programme.

Maintenant, examinons vos options.

Les activités d'extérieur

La marche

La marche est de loin le programme d'exercice le plus simple et, pour la plupart des gens, le plus facile à entreprendre et à respecter. Je vous recommande de viser 30 minutes par jour, 7 jours par semaine. Si vous ajoutez une marche d'une heure durant le week-end, vous pouvez prendre un jour de congé pendant la semaine. Comme je l'ai déjà mentionné, il est question de marche d'un bon pas, pas de marche rapide ou de marche lente. La marche doit augmenter le rythme de votre cœur et de votre respiration, mais jamais au point où vous n'arrivez pas à trouver votre souffle pour bavarder avec la personne qui vous accompagne.

Vous n'avez pas besoin de vêtements ou d'équipement particuliers, à part une paire de chaussures confortables ou de chaussures de marche. La marche est rarement ennuyeuse, parce que vous pouvez changer constamment d'itinéraire et regarder passer le monde pendant que vous faites de l'exercice. Vous pouvez marcher avec une personne qui vous tient compagnie et vous encourage, ou marcher seul en communion avec la nature et avec vos pensées. C'est durant ma marche matinale que je réfléchis le mieux de toute la journée. Ce n'est pas étonnant, lorsqu'on songe à la quantité de sang fraîchement oxygéné qui circule dans le cerveau.

C'est une bonne idée d'incorporer votre marche dans votre trajet quotidien au bureau. Je descends de l'autobus trois arrêts avant ma destination matin et soir. Ces trois arrêts représentent environ 2,5 kilomètres, de sorte que je marche 5 kilomètres par jour. Si vous prenez votre voiture pour vous rendre au travail, essayez de stationner à une distance d'environ 2,5 kilomètres et marchez le reste du trajet. Vous découvrirez peut-être même que le stationnement plus loin coûte moins cher.

Le jogging

Le jogging est similaire à la marche, mais il importe de choisir les chaussures avec plus de soin pour protéger les articulations. L'avantage du jogging par rapport à la marche est qu'il entraîne une dépense de calories environ deux fois plus importante pour la même période : 400 calories pour le jogging, par rapport à 200 pour la marche d'un bon pas durant 30 minutes. Essayez, pendant que vous marchez, de faire du jogging sur une distance de quelques mètres pour déterminer si cela vous convient. Votre rythme cardiaque s'accélérera, ce qui est excellent pour la santé du cœur. Le cœur est fondamentalement un muscle et, comme tous les muscles, il a besoin d'exercice, et plus il en a, mieux c'est. Si le jogging vous plaît, cela peut être la méthode d'exercice la plus simple et la plus efficace, parce qu'il vous permet d'utiliser votre temps efficacement, peut se pratiquer n'importe où, n'importe quand et à peu de frais.

La randonnée pédestre

La randonnée pédestre est une autre forme de marche. Parce qu'elle se pratique généralement sur divers types de terrains, surtout des collines et des vallées, elle entraîne une plus grande dépense de calories – environ 50 % fois plus que la marche d'un bon pas. C'est que, en montant, nous utilisons beaucoup plus d'énergie, parce que notre corps doit littéralement soulever son propre poids d'en bas jusqu'au sommet. Essayez de hisser de 68 à 90 kg en haut d'une colline, et vous aurez une idée de l'effort supplémentaire que votre corps doit faire. La randonnée procure également beaucoup de plaisir, surtout les week-ends lorsqu'on peut quitter la ville. Elle représente par ailleurs un changement de rythme par rapport aux routines de marche ou de jogging.

La bicyclette

Comme la marche, le jogging et la randonnée pédestre, la bicyclette est un moyen agréable de dépenser des calories, et elle est presque aussi efficace que le jogging. Encore une fois, outre le prix d'achat d'une bicyclette, c'est une activité sans frais que l'on peut pratiquer à peu près n'importe où et n'importe quand. On peut même s'y adonner à l'intérieur l'hiver avec une bicyclette stationnaire.

La bicyclette représente un autre agréable changement de rythme par rapport à la routine. Personnellement, j'ai constaté qu'elle me donne la possibilité de visiter des quartiers qui se situent en dehors de mes itinéraires de marche habituels.

Les autres activités d'extérieur

Le patin à roues alignées, le patin à glace, le ski (surtout le ski de fond), la raquette et la natation (dans un lac ou une piscine) peuvent très bien remplacer l'une ou l'autre des activités précédentes. Elles sont analogues à la bicyclette du point de vue de la dépense d'énergie.

Les sports

Bien que la plupart des sports soient fantastiques en ce qui concerne la dépense de calories, ils ne peuvent généralement pas s'intégrer à la routine. La plupart exigent plus de personnes, d'équipement et d'installations, ce qui va généralement à l'encontre du programme d'exercice régulier. Encore une fois, ils peuvent être un excellent complément au programme d'exercice régulier. Les sports populaires, comme le golf (sans voiturette, je vous prie), le tennis, le basket-ball et le softball sont d'excellents compléments au programme d'exercice de base. Ils ne peuvent toutefois remplacer un programme régulier de cinq à sept jours par semaine.

Les activités d'intérieur

Vous avez peut-être commencé à murmurer que tout cela serait très bien si nous vivions en Californie, mais, il faut être réaliste, nous sommes au Canada ; il est impossible d'y pratiquer plusieurs de ces activités pendant la moitié de l'année. Bien que cela soit vrai en général, lorsqu'on est convenablement vêtu, la marche et le jogging peuvent se pratiquer à peu près toute l'année, sauf les jours où personne n'ose mettre le nez dehors.

La solution de rechange consiste à avoir une salle d'exercice à la maison ou à aller au centre de culture physique. La seconde possibilité est facilement accessible de nos jours dans la plupart des plus grandes agglomérations. Les centres de culture physique offrent non seulement une grande gamme d'appareils perfectionnés, mais également le soutien mutuel d'amis et l'expertise du personnel.

S'il n'y a pas de centre de culture physique dans votre quartier ou que les jeunes gens vêtus de Lycra vous mettent mal à l'aise, vous n'avez qu'à faire vos exercices à la maison. La bicyclette stationnaire est le meilleur équipement et le moins coûteux. Les plus récents modèles fonctionnent selon un principe de résistance magnétique, plutôt que sur les vieilles courroies adaptées à un volant moteur. Ils offrent un roulement en douceur et permettent un meilleur ajustement de la tension. Le plus important, c'est que ces bicyclettes sont silencieuses, ce qui est crucial lorsqu'on souhaite pouvoir écouter de la musique ou regarder la télé. (Sinon, vous pouvez toujours élever le volume jusqu'à ce que les voisins protestent ou utiliser des écouteurs.)

On peut facilement payer des milliers de dollars pour une bicyclette munie de tous les accessoires de fantaisie, comme celles qui sont conçues pour les centres de culture physique, mais en réalité l'appareil qui coûte de 250 $ à 350 $ est tout à fait adéquat. Vérifiez seulement que la tension est régulière et ajustable et que le siège est à la bonne hauteur, puis regardez ce film de fin de soirée ou votre feuilleton préféré, et commencez à pédaler. Vous serez étonné de constater à quel point le temps passe vite. J'ai fréquemment excédé mon horaire d'exercice prévu, parce que j'étais captivé par l'action sur l'écran. Vingt minutes sur la bicyclette stationnaire vous feront dépenser la même quantité de calories que 30 minutes de marche d'un bon pas.

Si la bicyclette ne vous convient pas, essayez le tapis roulant. Les tapis roulants peuvent coûter cher, et il faut vous méfier des modèles bas de gamme qui ne supportent pas les chocs. Attendez-vous à payer entre 700 $ et 1000 $, et vérifiez qu'il est possible de modifier l'inclinaison de la piste pour optimiser l'entraînement.

La bicyclette stationnaire et le tapis roulant peuvent tous deux simuler, dans le confort de votre foyer, la marche, le jogging, la randonnée pédestre ou la bicyclette à l'extérieur. J'utilise les deux appareils, mais j'ai ajouté un appareil de ski de fond, qui a l'avantage de faire également travailler le haut du corps. Les appareils de ski sont généralement moins chers que les tapis roulants, mais ils sont plus coûteux que les bicyclettes stationnaires. Ils font également dépenser un nombre de calories considérablement plus élevé (comme le jogging), parce qu'ils sollicitent les bras et les épaules autant que les jambes – un appareil d'entraînement presque parfait pour tout le corps.

Il existe plusieurs autres options plus spécialisées, comme les appareils à escalier ou à rames, mais ils ne conviennent pas à tout le monde. Ils sont également assez coûteux, alors prenez la peine de les essayer d'abord dans un centre de culture physique ou chez un détaillant coopératif.

Note : la plupart des experts sont d'avis que n'importe quelle activité supplémentaire est meilleure qu'aucune activité du tout. Nous ne le contestons pas, mais démontre que, lorsque les gens commencent à remplacer le programme d'exercice vigoureux régulier par le lavage de l'auto ou le lancer de la balle au chien, le programme ne fonctionne pas. Je vous en conjure, faites du jardinage, lavez les fenêtres ou faites ce qui vous plaît, mais ne faites pas l'erreur de croire que ces activités auront un effet important sur votre programme d'amaigrissement ou de maintien du poids.

L'entraînement en résistance

C'est maintenant le moment de vous pencher sur la réédification de votre masse musculaire. Rappelez-vous qu'après 40 ans, vous perdrez de 2 à 3 kg de masse musculaire chaque décennie. Ce sont 2 à 3 kg de muscles consommateurs de calories. Les muscles dépensent de l'énergie, même lorsqu'ils sont inertes. Je vais vous expliquer. Lorsque j'étais étudiant, il m'est arrivé de servir de l'essence durant les vacances. Un jour, une Bentley d'avant-guerre est arrivée et le conducteur m'a demandé de faire le plein. Il a laissé le moteur tourner, et il est allé aux toilettes. La voiture se remplissait par un gros tuyau qui sortait d'environ 45 cm du réservoir à essence. J'étais incapable de remplir le réservoir jusqu'au sommet du tuyau, parce que le niveau ne cessait de descendre à chaque sursaut de l'immense moteur de 12 cylindres. J'ai finalement dû demander au propriétaire de fermer le moteur pour que je puisse finir de faire le plein. La leçon, c'est que, comme dans le cas de la Bentley, les plus gros muscles consomment plus d'énergie que les plus petits, même au repos.

L'équipement d'entraînement en résistance peut aussi bien être complexe et coûteux, que simple et abordable. Les salles d'exercice à la maison sont populaires et coûtent quelques centaines de dollars. Pour la plupart des gens, cependant, il existe des méthodes beaucoup plus simples : les poids et haltères ou les bandes élastiques (que je préfère). Dynaband et Thera-Band sont deux choix populaires. À mon avis, la deuxième marque est particulièrement utile, parce qu'elle est offerte en diverses épaisseurs qui représentent des niveaux de résistance croissants selon le degré de rétablissement de votre force musculaire.

Les exercices en résistance doivent s'ajouter à votre autre programme d'exercice régulier et non le remplacer. Les exercices de musculation sont un strict complément des exercices réguliers qui mettent votre corps en mouvement. Les deux types d'exercices combinés sont beaucoup plus efficaces que l'un ou l'autre seul. Enfin, il est préférable de faire des exercices en résistance tous les deux jours, pour donner le temps aux muscles de récupérer.

Pour de plus amples renseignements sur l'entraînement en résistance, je recommande un excellent ouvrage de Wayne Westcott et Thomas Baechle intitulé *Strength Training Past 50*. Bien qu'il s'adresse aux personnes de 50 ans et plus, il est utile pour tout le monde.

Les étirements

Il est important de s'étirer à la fin du programme d'exercice pour diverses raisons. D'une part, c'est apaisant et cela aide à « se remettre » de l'intensité de l'entraînement. D'autre part, cela détend les muscles après qu'ils ont été rétrécis et contractés pendant les exercices. Il est idéal de pratiquer les étirements lorsque le corps est réchauffé, soit après la séance d'exercices, soit sous la douche même.

Les étirements deviennent d'autant plus essentiels avec l'âge. C'est souvent à cause d'un manque de flexibilité que les personnes âgées tombent ou trébuchent. Les femmes qui ont pris l'habitude de porter des chaussures à talons hauts ont généralement les muscles des mollets plus courts lorsqu'elles sont âgées, et elles ont en conséquence tendance à traîner les pieds. C'est pourquoi les femmes trébuchent plus fréquemment que les hommes et s'infligent souvent de tragiques fractures de la hanche.

Il n'est pas difficile de demeurer flexible et vous pouvez facilement augmenter votre flexibilité à 100 % en quelques semaines. Il existe une grande variété de livres et de documentations sur les exercices d'étirement.

EN RÉSUMÉ

1. Le programme d'exercices régulier accélérera votre perte de poids et vous aidera à maintenir le poids souhaité. En outre, il améliorera votre santé (surtout la santé de votre cœur), vous procurera un état de bien-être et vous aidera à mieux dormir. Ce seront les 30 minutes par jour les mieux investies de toute votre vie.

2. Choisissez une activité qui convient à votre personnalité et à votre horaire.

3. Tenez bon. Intégrez l'exercice à votre vie au moins cinq jours par semaine et de préférence tous les jours.

CHAPITRE DIX

La santé

L'alimentation a un double effet sur la santé. Premièrement, le choix des aliments et la quantité que nous consommons ont une influence déterminante sur le poids. Le lien entre l'obésité et l'augmentation des risques de maladies comme les cardiopathies, les accidents vasculaires cérébraux et le diabète est bien établi.

Deuxièmement, les types de protéines, de lipides et de glucides que nous consommons peuvent déterminer les incidences de maladies du cœur, d'accidents vasculaires cérébraux, de diabètes, de cancers de la prostate et du côlon, et de la maladie d'Alzheimer. Le présent ouvrage portait avant tout sur les bons choix à faire. Dans ce chapitre, nous examinerons le rôle du régime dans la prévention des maladies.

Les aliments sont, en fait, des médicaments. Ils ont une puissante influence sur la santé, le bien-être et l'état émotif. Nous absorbons des aliments quatre ou cinq fois par jour, en pensant généralement plus à leur goût qu'à leur valeur nutritive. Il serait impensable de prendre des médicaments selon le même critère.

Le fait de bien choisir les aliments que vous mangez peut vous aider à conserver la santé, à prolonger votre vie, à avoir plus d'énergie, à vous sentir mieux et à mieux dormir. Si vous mangez bien et que vous faites de l'exercice, vous faites tout ce que vous pouvez pour demeurer en bonne santé et en forme et pour garder l'esprit vif. Le reste est une question de gènes et de chance.

Nous allons maintenant examiner le rôle du régime et de l'exercice sur la prévention des maladies.

Les cardiopathies et les accidents vasculaires cérébraux

Étant donné que j'ai été président de la Fondation des maladies du cœur de l'Ontario, il est tout naturel que je commence par ce type de maladies. Il y a toutefois un motif plus important : les maladies du cœur et les accidents vasculaires cérébraux causent 40 % des décès en Amérique du Nord. Fait étonnant, ce pourcentage indique une amélioration. Lorsque je suis arrivé à la Fondation, le chiffre avoisinait les 50 %.

Dans cette histoire, il y a une bonne et une mauvaise nouvelle. La bonne nouvelle, c'est que les progrès accomplis dans les domaines de la chirurgie, de la pharmacothérapie et des services d'urgence ont sauvé de nombreuses vies. La mauvaise, c'est que deux fois plus de décès auraient pu être évités si seulement nous avions diminué notre poids, fait de l'exercice régulièrement et cessé de fumer. Bien que le nombre de fumeurs ait considérablement diminué chez les adultes (malheureusement, on ne peut en dire autant pour les adolescents), nous mangeons plus, nous faisons moins d'exercice, cela fait en sorte que la population est de plus en plus obèse et de plus en plus malade. Il est démontré que, si nous avions un style de vie plus raisonnable, nous pourrions réduire de moitié le carnage causé par ces maladies. Quoique la cardiopathie, comme la plupart des cancers, soit principalement une maladie de la vieillesse, près de la moitié des personnes qui ont des crises cardiaques sont âgées de moins de 65 ans.

J'ai très souvent entendu des gens dire : « Pourquoi m'inquiéter ? Si je fais une crise cardiaque, la médecine moderne va me sauver. » Elle peut sans doute sauver les victimes d'une mort immédiate, mais ce que la plupart des gens ignorent, c'est que le cœur demeure affaibli en permanence après une crise cardiaque. Le cœur ne peut pas se réparer, parce que ses cellules ne se reproduisent pas. (Vous êtes-vous déjà demandé pourquoi il n'y avait pas de cancer du cœur ? Voilà pourquoi.) Après une crise cardiaque, le cœur doit travailler plus fort pour compenser, mais il en est incapable. Cette pression entraîne sa dégénérescence progressive et les patients finissent par se « noyer », lorsque la circulation cesse et que les poumons se remplissent de liquide. L'insuffisance cardiaque congestive est une mort horrible. Commencez donc par faire tout ce que vous pouvez pour éviter la crise cardiaque.

Pour ce qui concerne le régime, c'est très simple. Plus vous faites d'embonpoint, plus vous êtes susceptible de faire une crise cardiaque ou un accident vasculaire cérébral. Les deux facteurs qui relient les maladies du cœur et les accidents vasculaires cérébraux à l'alimentation sont le cholestérol et l'hypertension artérielle. J'ai promis au début du livre que je ne m'attarderais pas aux complexités de la science de la nutrition ; ce sont les conclusions de cette science qui importent. Néanmoins, quelques notions scientifiques peuvent être utiles pour comprendre le rôle et l'importance de l'hypertension et du cholestérol.

L'hypertension est le signe avant-coureur des maladies du cœur et des accidents vasculaires cérébraux. L'hypertension perturbe le système artériel, le fait vieillir et se détériorer plus rapidement, ce qui finit par endommager les artères et causer des caillots, des crises cardiaques ou des maladies vasculaires cérébrales. L'obésité a une influence considérable sur l'hypertension. Une étude canadienne récente a conclu que les adultes obèses âgés de 18 à 55 ans présentent un risque de 5 à 13 fois plus grand de souffrir d'hypertension. Une autre étude a démontré qu'un régime pauvre en lipides, associé à une consommation accrue de fruits et de légumes (de 8 à 10 portions par jour), abaisse la tension artérielle. Conclusion : perdez du poids et mangez plus de fruits et de légumes pour abaisser votre tension artérielle. En d'autres termes, adoptez le régime I. G.

Le cholestérol est essentiel au métabolisme du corps. Cependant, son taux élevé est problématique, parce qu'il est le principal ingrédient de la plaque qui peut se former dans les artères et couper l'approvisionnement de sang au cœur (ce qui cause la crise cardiaque) ou au cerveau (ce qui cause l'accident vasculaire cérébral). Pour compliquer davantage les choses, il y a deux formes de cholestérol : le type lipoprotéine de haute densité (HDL) ou bon cholestérol, et le type lipoprotéine de basse densité (LDL) ou mauvais cholestérol. Ce qu'il faut, c'est élever le taux de HDL et diminuer le taux de LDL.

Les responsables de l'augmentation du taux de LDL sont les graisses saturées généralement solides à la température ambiante et qui se trouvent principalement dans la viande, le lait entier et les produits alimentaires. À l'inverse, les matières grasses polyinsaturées et monoinsaturées, en plus de réduire le taux de LDL, élèvent le taux de HDL. Conclusion : faites en sorte que votre régime contienne des matières grasses, mais assurez-vous qu'il s'agit des bonnes. (Je vous renvoie au chapitre 1 pour une revue complète des matières grasses.)

Le diabète

Le diabète est un cousin bien obligeant de la cardiopathie. En effet, plus de gens meurent de complications cardiaques attribuables au diabète, que du diabète seulement. Et l'incidence du diabète monte en flèche : on s'attend à ce qu'elle double dans les 10 prochaines années.

Les principales causes de la forme la plus courante du diabète, le diabète de type 2, sont l'obésité et le manque d'exercice, et l'épidémie actuelle est en forte corrélation avec la tendance relative à l'obésité. L'illustration la plus spectaculaire de ce lien se manifeste dans la population autochtone du Canada, où le diabète touche près de la moitié des adultes dans certaines communautés. Avant que les Européens colonisent l'Amérique du Nord, les peuples autochtones vivaient dans un état de jeûne ou de famine. Lorsque la nourriture était abondante, sous forme végétale ou animale, le corps l'accumulait sous forme de graisses. Dans les périodes maigres, comme l'hiver, le corps épuisait ces réserves de graisses. En conséquence, leur corps avait développé un «gène de prévoyance», et ceux qui accumulaient et utilisaient la nourriture le plus efficacement survivaient – un exemple darwinien classique de la survivance des plus aptes. Lorsqu'on remplace la nécessité de chasser ou de récolter – c'est-à-dire de faire de l'exercice – par une visite au supermarché lorsqu'on a besoin de nourriture, le résultat est inévitable : une augmentation massive de l'obésité et, avec elle, du diabète.

Les aliments à I. G. faible, qui libèrent le sucre plus lentement dans le système sanguin, semblent jouer un rôle important dans le contrôle du diabète. Le régime I. G. a donc un effet à la fois sur la perte de poids et le contrôle de la maladie. Dans son magazine *Dialogue*, l'Association canadienne du diabète a exprimé sa préférence pour le régime I. G.

Du fait que les protéines et les lipides influent sur la classification de l'indice glycémique des aliments, les diabétiques devraient particulièrement se soucier de manger des protéines, des glucides et des lipides de catégorie feu vert en équilibre adéquat à chaque repas et à chaque collation. La prévention est toutefois de loin préférable, alors commencez le régime I. G. sans délai et perdez vos kilos de trop.

Le cancer

De plus en plus de recherches démontrent un lien entre l'alimentation riche en matières grasses saturées et certains cancers, particulièrement le cancer de la prostate et le cancer colorectal. Un rapport global récent de l'American Institute for Cancer Research a conclu que de 30 à 40 % des cancers ont un rapport direct avec les choix alimentaires. Le rapport recommande principalement aux gens de choisir une alimentation contenant une variété de légumes, de fruits et de céréales et faible en matières grasses saturées – bref, le régime I. G.

La maladie d'Alzheimer

Comme dans le cas du cancer, de plus en plus de recherches établissent un lien entre certaines démences, notamment la maladie d'Alzheimer, et la consommation de matières grasses. Une étude américaine récente a démontré une augmentation de 40 % de l'incidence de la maladie d'Alzheimer chez les personnes dont l'alimentation est riche en matières grasses saturées.

La graisse abdominale et la santé

La nouvelle la plus alarmante en ce qui concerne la graisse est qu'elle n'est pas, comme on le croyait antérieurement, un accumulateur passif de réserves d'énergie et d'excès de bagage. C'est plutôt une partie active, vivante, de l'organisme. Lorsqu'une masse suffisante s'est formée, elle se comporte comme n'importe quel autre organe, comme le foie, le cœur ou les reins, sauf qu'elle pompe une dangereuse combinaison d'acides gras libres et de protéines. Cela donne lieu à une prolifération cellulaire débridée, qui est directement associée à la croissance de tumeurs cancéreuses malignes. Elle est également à l'origine d'inflammations, qui sont liées à l'athérosclérose, la cause principale des cardiopathies et des accidents vasculaires cérébraux. Comme si ce n'était pas suffisamment grave, les tissus adipeux augmentent également la résistance à l'insuline, à l'origine des diabètes de type 2.

Le fait est que la graisse abdominale présente plusieurs des caractéristiques d'une énorme tumeur maligne. Cette idée devrait inciter les indécis à faire quelque chose pour perdre du poids.

CHAPITRE ONZE

Les suppléments

Lorsque j'étais un jeune directeur de la publicité au Royaume-Uni, une nutritionniste m'a renseigné sur les suppléments vitaminiques que les laboratoires Miles avaient l'intention de lancer en Angleterre. La nutritionniste doutait que le marché britannique fût prêt à recevoir ces vitaminothérapies à l'américaine et se demandait si nous en avions besoin. Son commentaire me vient encore en tête chaque fois que la question des vitamines et autres compléments alimentaires se présente. Elle avait dit : « Nos égouts contiennent la plus riche concentration de vitamines dans le pays. »

Il y a beaucoup de vrai dans cette affirmation. En général, notre alimentation nous procure au moins le taux minimum recommandé de vitamines et de minéraux. Il y a cependant de plus en plus d'indices que les habituelles rations quotidiennes recommandées (RQR) soient insuffisantes dans certains cas précis. Il s'agit d'un secteur dynamique de la recherche en nutrition, et le domaine est très susceptible de changer, car de nouvelles données sont analysées tous les jours. Voici quelques lignes directrices qui peuvent être utiles, selon nos connaissances actuelles.

La vitamine B

Il y a de plus en plus d'indices que la vitamine B, ou plus précisément les vitamines B_6, B_{12} et l'acide folique sont des ingrédients essentiels dans la lutte contre une substance chimique appelée homocystéine, qui attaque les artères. Cette substance est stimulée par la digestion de protéines animales, ce qui permet de croire que les régimes à haute teneur en protéines sont dangereux pour la santé.

Comme les doses excessives de certaines vitamines B peuvent être dangereuses, les taux contenus dans la plupart des doses quotidiennes de multivitamine (20 mcg de B_{12}, 2 mg de B_6, 400 mcg d'acide folique) sont amplement suffisants pour compenser les lacunes possibles du régime alimentaire.

La vitamine C

La vitamine C est certainement la vitamine la plus vendue, probablement parce qu'on l'associe à la prévention et à la réduction du rhume. Bien qu'il existe peu de preuves à l'appui de cette prétention traditionnelle, nous savons que la vitamine C est essentielle aux muscles, aux ligaments et aux articulations.

Le régime I. G., qui insiste sur la consommation de fruits et de légumes frais, couvre certainement les besoins fondamentaux en vitamine C, mais un complément sous forme de dose quotidienne de multivitamine ne peut pas nuire.

La vitamine D

La vitamine D est la véritable vitamine du soleil ; ce n'est pas la vitamine C, comme le laissent entendre certains messages publicitaires sur la Floride. Bien que la vitamine D prédomine dans le lait et les poissons gras, le corps ne peut produire lui-même de vitamine D que lorsqu'il est exposé au soleil. Pour les Canadiens, le soleil est une denrée rare en hiver, et comme nous devrions nous enduire de crème solaire durant notre court été, nous ne pouvons pas profiter de la propriété de génération autonome de cette vitamine.

La vitamine D est importante, parce qu'elle facilite le processus de calcification des os. C'est essentiel pour les personnes âgées de plus de 50 ans, surtout les femmes, pour prévenir l'ostéoporose. Une carence en vitamine D peut également occasionner des douleurs analogues aux symptômes de l'arthrite.

Encore une fois, le régime I. G. est bénéfique, compte tenu de l'importance qu'il accorde au lait et au poisson à faible teneur en matières grasses. Néanmoins, un complément sous forme de multivitamine, qui contient normalement la dose quotidienne de 400 U.I. recommandée, ne peut faire de tort.

Cher Rick,
En suivant votre programme d'alimentation et en marchant 30 minutes par jour au moins 5 fois par semaine, j'ai perdu 10 kg, et ce n'est pas fini... Le médecin a dit à mon père qu'il devait diminuer son cholestérol, et il a du même souffle évoqué la possibilité d'un cancer de la prostate. Depuis, mon père suit religieusement le régime I. G. et, à 59 ans, il a retrouvé sa taille de collégien !
Jocelyn

La vitamine E

La vitamine E est devenue miraculeuse dans les années 90, lorsqu'on a laissé entendre qu'elle pouvait réduire l'incidence des maladies du cœur, de la maladie d'Alzheimer et de certains cancers. Il y a plusieurs études démographiques importantes en cours, mais les plus récents rapports concernant les maladies du cœur sont quelque peu contradictoires.

La vitamine E est sous-représentée dans la plupart des multivitamines. La dose quotidienne recommandée est de 100 à 400 U.I., alors qu'en général les multivitamines en contiennent seulement de 30 à 50 U.I. Le régime I. G. offre une bonne provision naturelle de vitamine E, qu'on trouve dans les huiles végétales et les noix (deux sources de « bonnes » graisses). Toutefois, il faudrait consommer une grande quantité de ces graisses végétales pour obtenir le taux recommandé. Prendre 400 U.I. de complément de vitamine E est donc indiqué, et cela comporte peu de risques. De nombreux cardiologues prennent ce complément, ce qui est en soi une bonne recommandation.

L'huile de poisson

On a découvert qu'une huile en particulier a des effets positifs importants sur la santé, surtout la santé du cœur. On appelle cette huile oméga-3. C'est un acide gras qu'on trouve principalement dans les poissons d'eau froide, en particulier le saumon, de même que dans les graines de canola et de lin. Comme il n'est généralement pas possible de manger quotidiennement du saumon, on trouve de l'huile de saumon sous forme de capsule dans toutes les pharmacies. J'en prends deux comprimés (2 000 mg) au petit-déjeuner tous les jours. Les résultats de recherche en faveur de l'oméga-3 sont convaincants. Plusieurs sont canadiens et découlent d'études réalisées auprès des Inuits, qui consomment beaucoup de graisses animales et pratiquement pas de fruits ou de légumes, une alimentation que nous ne jugeons pas saine pour le cœur. Toutefois, le poisson d'eau froide riche en oméga-3 qu'ils consomment semble les protéger contre les maladies du cœur.

EN RÉSUMÉ

Le régime I. G. contient certainement assez de vitamines pour satisfaire vos besoins quotidiens. Toutefois, si vous avez des doutes, les doses quotidiennes de multivitamine offrent une assurance peu coûteuse et sans risques. Le complément de vitamine E en plus est facultatif, mais tenez-vous au courant de l'évolution des recherches dans ce domaine. Si vous vous inquiétez particulièrement de la santé de votre cœur, vous pouvez consommer des capsules d'huile d'oméga-3. Si vous avez plus de 50 ans, surtout si vous êtes de sexe féminin, il serait probablement avantageux de prendre aussi un complément de vitamine D.

Annexe I

Guide alimentaire complet du régime I. G.

LÉGUMINEUSES	ROUGE	JAUNE	VERT
	Haricots au lard, au four		Haricots au four*, au four (faible en gras)
	Grosses légumineuses		Haricots noirs
	Haricots frits		Haricots à œil noir
			Haricots de Lima
			Pois chiches
			Haricots communs
			Haricots italiens
			Haricots mungo
			Haricots ronds blancs
			Pois pigeon
			Haricots romano
			Fèves de soya
			Pois fendus

* Portions limitées (voir page 76).

BOISSONS	ROUGE	JAUNE	VERT
	Boissons alcooliques*	Boissons-diète (avec caféine)	Eau en bouteille
	Boissons aux fruits	Lait (1 %)	Eau gazéifiée
	Lait (entier ou 2 %)	Lait (1 %)	Café décaféiné (avec lait écrémé, sans sucre)
	Café ordinaire	Vin rouge*	Boissons-diète (sans caféine)
	Boissons gazeuses ordinaires	Jus de légumes	Thés aux herbes
	Jus sucré		Chocolat instantané allégé
	Jus de melon d'eau	Lait (écrémé)	Lait de soya (nature, faible en gras)
			Thé (avec lait écrémé, sans sucre)
PAINS	**ROUGE**	**JAUNE**	**VERT**
	Bagels	Pain suédois (avec fibres)	Pain de blé entier 100 % moulu sur pierre
	Baguette ou croissants	Pita (blé entier)	Pain suédois (à haute teneur en fibres, ex. : Wasa Fibre)*
	Gâteaux ou biscuits	Tortillas (blé entier)	Muffins feu vert (voir p. 179-180)
	Pain de maïs	Pains de blé entier	Barres de céréales maison (voir p. 182)
	Pain suédois (ordinaire)		Pain de blé entier à haute teneur en fibres (2,5 à 3 g de fibres par tranche)

* Portions limitées (voir page 76).

PAINS	ROUGE	JAUNE	VERT
	Croûtons		
	Muffins anglais		
	Pains à hamburgers		
	Pains à hot dog		
	Petits pains empereur		
	Toast melba		
	Muffins ou beignets		
	Crêpes ou gaufres		
	Pizza		
	Chapelure		
	Tortillas		
	Pain blanc		

CÉRÉALES	ROUGE	JAUNE	VERT
	Toutes les céréales froides, sauf celles énumérées dans les catégories feu jaune ou vert	Kashi Go Lean Crunch	Son 100 %
	Barres céréalières ou naturelles	Kashi Good Friends	All-Bran
	Barres de céréales	Red River	Bran Buds
	Gruau de maïs	Shredded Wheat Bran	Fibre 1
	Müesli (du commerce)		Fibre First
			Muësli maison (voir p. 101)
			Kashi Go Lean
			Son d'avoine
			Gruau (à l'ancienne, flocons d'avoine)

GRAINS CÉRÉALIERS	ROUGE	JAUNE	VERT
	Couscous	Maïs	Orge
	Millet		Sarrasin
	Polenta		Boulghour
	Riz (à grains courts, blancs, instantané)		Riz (basmati, sauvage, brun, à grains longs)
	Gâteau de riz		Grains de blé

CONDIMENTS/ ASSAISONNEMENTS	ROUGE	JAUNE	VERT
	Ketchup		Câpres
	Mayonnaise		Extraits (vanille, etc.)
	Sauce tartare		Ail
			Mélange à sauce (maximum 20 calories par portion de 60 ml [¼ tasse])
			Fines herbes et épices
			Raifort
			Hoummos
			Mayonnaise (sans matières grasses)
			Moutarde
			Salsa (sans sucre ajouté)
			Choucroute
			Sauce de soya (faible en sodium)
			Sauce teriyaki
			Vinaigre
			Sauce Worcestershire

PRODUITS LAITIERS	ROUGE	JAUNE	VERT
	Lait d'amandes	Fromage (allégé)	Babeurre
	Fromage	Fromage à la crème 0 % M.G.	Fromage (sans gras)
	Lait au chocolat	Yogourt glacé 0 % M.G.	Fromage cottage (1 % ou sans gras)
	Fromage cottage (entier ou 2 %)	Crème glacée 0 % M.G.	Fromage très allégé (ex. : Petite vache maigre, Boursin léger)
	Crème	Lait (1 %)	Yogourt aux fruits (sans M.G., avec édulcorant)
	Fromage à la crème	Crème sure 0 % M.G.	Crème glacée (sans gras et sans sucre ajouté, ex. : Breyers Premium sans gras Nestlé Legend sans sucre ajouté)
	Lait évaporé	Yogourt 0 % M.G., sans sucre	
	Lait de chèvre		
	Crème glacée		Lait écrémé
	Lait (entier ou 2 %)		Lait de soya (nature, faible en matières grasses)
	Lait de riz		Fromage de soja (faible en M.G.)
	Crème sure		
	Yogourt (entier ou 2 %)		

MATIÈRES GRASSES	ROUGE	JAUNE	VERT
	Beurre	Huile de maïs	Amandes*
	Huile de coco	Mayonnaise (légère)	Huile ou graines de canola*
	Margarine dure	Noix en général	Noix de cajou*
	Saindoux	Beurres de noix naturels	Graines de lin
	Mayonnaise	Beurre d'arachide naturel	Noisettes*
	Huile de palme	Arachides	Noix macadamia*
	Beurre d'arachide (ordinaire et léger)	Huile d'arachide	Mayonnaise (sans gras)

* Portions limitées (voir page 76).

MATIÈRES GRASSES	ROUGE	JAUNE	VERT
	Vinaigrettes (ordinaires)	Pacanes	Huile d'olive*
	Huiles tropicales	Vinaigrettes (légères)	Pistaches*
	Shortening végétal	Huile de sésame	Vinaigrettes (faibles en M.G. et en sucre)
		Margarine molle (non hydrogénée)	Margarine molle (non hydrogénée, allégée)
		Huile de tournesol	Huile végétale en aérosol
		Huiles végétales	
		Noix	

FRUITS FRAIS	ROUGE	JAUNE	VERT
	Cantaloup	Abricot	Pomme
	Melon miel	Banane	Avocat*
	Melon d'eau	Cœur de bœuf	Mûre
		Kiwi	Bleuet
		Mangue	Cerise
		Papaye	Canneberge
		Ananas	Pamplemousse
		Grenade	Raisin
			Goyave
			Citron
			Orange (toutes variétés)
			Pêche ou nectarine
			Prune
			Poire
			Framboise
			Rhubarbe
			Fraise

* Portions limitées (voir page 76).

FRUITS	ROUGE	JAUNE	VERT
EN BOUTEILLE, EN CONSERVE, SÉCHÉS, CONGELÉS	Tous les fruits en conserve dans le sirop	Abricots en conserve dans le jus ou l'eau	Compote de pommes (sans sucre)
	Compote de pommes sucrée	Abricots séchés*	Pommes séchées
	Fruits séchés en général*	Canneberges séchées*	Baies congelées
		Cocktail de fruits dans le jus	Fruits à tartiner (double fruit, sans sucre ajouté)
		Pêches ou poires dans le sirop	Mandarines
			Pêches ou poires dans le jus ou l'eau
JUS**	ROUGE	JAUNE	VERT
	Boissons aux fruits	Pomme (non sucré)	
	Prune	Canneberge (non sucré)	
	Jus sucrés	Pamplemousse (non sucré)	
	Melon d'eau	Orange (non sucrée)	
		Poire (non sucrée)	
		Ananas (non sucré)	
		Légumes	

* On peut utiliser une modeste quantité d'abricots ou de canneberges séchés dans certaines recettes.

** Il est préférable, quand c'est possible, de manger un fruit plutôt que de boire du jus.

VIANDE, POULET, POISSON, ŒUFS ET TOFU	ROUGE	JAUNE	VERT
	Bœuf (pointe de poitrine, bouts de côte)	Bœuf (steak de surlonge, pointe de surlonge)	Tous les poissons et fruits de mer, frais, congelés ou en conserve (dans l'eau)
	Mortadelle ou dinde (sans peau)	Cuisse de poulet	Bacon de dos
	Poissons et fruits de mer panés	*Corned-beef*	Bœuf (steak de haut de ronde, de noix de ronde)
	Canard	Bœuf séché	Poitrine de poulet (sans peau)
	Poisson en conserve dans l'huile	Bœuf haché (maigre)	Blancs d'œufs
	Oie	Agneau (jarret, membres antérieurs, côtelette de filet coupe centrale)	Bœuf haché (extra-maigre)
	Bœuf haché (plus de 10 % de gras)	Porc (partie du centre, jambon frais, jarret, surlonge, côtelette de filet)	
	Hamburger	Bacon de dinde	Œuf liquide
	Hot dog	Œuf oméga-3 entier	Pastrami (dinde)
	Agneau (carré)	Tofu	Filet de porc
	Abats		Sashimi
	Pastrami (bœuf)		Fromage de soya (maigre)
	Pâté		Tofu (maigre)
	Porc (côtes de dos, palette, travers)		Poitrine de dinde (sans peau)
	Bacon ordinaire		Roulé de dinde
	Salami		Protéine végétale texturée
	Saucisse		Veau
	Sushi		Burger de protéines végétales
	Œuf entier ordinaire		

PÂTES*	ROUGE	JAUNE	VERT
	Toutes les pâtes en conserve	Nouilles de riz	Capellini
	Gnocchis		Fettucine
	Macaronis au fromage		Macaronis Nouilles de haricots mungo
	Nouilles (en conserve ou instantanées)		Penne Rigatoni
	Pâtes farcies au fromage ou à la viande		Vermicelles
SAUCES POUR PÂTES	ROUGE	JAUNE	VERT
	Alfredo	Sauces à base de légumes (sans sucre ajouté)	Sauces légères aux légumes (sans sucre ajouté)
	Sauces à la viande ou au fromage		
	Sauces avec sucre ou saccharose		
COLLATIONS	ROUGE	JAUNE	VERT
	Bagel	Banane	Amandes**
	Bonbons	Chocolat noir (70 % de cacao)	Compote de pommes (non sucrée)
	Biscuits	Crème glacée (faible en M.G.)	Pêches ou poires en conserve dans le jus ou l'eau
	Craquelins	Noix en général**	Fromage cottage (1 % ou sans gras)
	Beignet	Maïs éclaté (à l'air)	Fromage très allégé (ex. Petite vache maigre, Boursin léger)
	Gélatine aromatisée (toutes les variétés)		Yogourt aux fruits (sans M.G., avec édulcorant)

* Utilisez autant que possible des pâtes de blé entier ou enrichies de protéines.

** Portions limitées (voir page 76).

COLLATIONS ROUGE	JAUNE	VERT
Frites		Barre alimentaire*
Crème glacée		Muffin feu vert (voir p. 179-180)
Muffin (du commerce)		Noisettes**
Maïs éclaté (ordinaire)		Biscuits maison (voir p. 185-189)
Croustilles		Barre de céréales maison (voir p. 182)
Bretzels		Crème glacée (sans gras et sans sucre ajouté, ex. Breyers Premium sans gras, Nestlé Legend sans sucre ajouté
Flan		
Raisins secs		
Gâteau de riz		
Sorbet		
Croustilles au maïs		Fruits frais en général
Mélange montagnard		Légumes frais en général
Pain blanc		Marinades
		Graines de citrouille
		Bonbons durs non sucrés
		Graines de tournesol

SOUPES ROUGE	JAUNE	VERT
Toutes les soupes à base de crème	Soupe au poulet en conserve	Soupes aux haricots et aux gros morceaux de légumes (ex. : Healthy Request de Campbell, Healthy Campbell, Healthy Choice et Too Good
Haricots noirs	Lentilles en conserve	
Pois verts en conserve	Tomates en conserve	
Purée de légumes en conserve		
Pois cassés en conserve		Soupes maison avec ingrédients feu vert

* **Barres de 180 à 225 calories, ex. : barres Zone ou Balance ; ½ barre par portion.**
** **Portions limitées (voir page 76).**

SUCRERIES ET ÉDULCORANTS	ROUGE	JAUNE	VERT
	Sirop de maïs	Fructose	Aspartame
	Glucose		Égal
	Miel		Splenda
	Mélasse		Stevia (note : non approuvé par la FDA)
	Sucre (tous les types)		Sugar Twin
			Sweet'N Low

LÉGUMES	ROUGE	JAUNE	VERT	
	Grosses légumineuses	Artichaut	Germe de luzerne	Laitue
	Frites	Betterave	Asperge	Champignon
	Pomme de terre rissolée	Maïs	Haricot (vert, jaune)	Moutarde
				Okra
	Panais	Pomme de terre bouillie	Poivron	Olive*
			Pak-choï	Oignon
	Pomme de terre (instantanées)	Citrouille	Brocoli	Pois
			Chou de Bruxelles	Piment (fort)
				Marinade
	Pomme de terre (en purée ou au four)	Courge	Chou (toutes les variétés)	Pomme de terre (nouvelle bouillie)*
			Carotte	Chicorée italienne
	Rutabaga Navet	Patate douce	Chou-fleur	Radis
			Céleri	Rapini
		Igname	Feuille de chou vert	Pois mange-tout
			Concombre	Épinard
			Aubergine	Bette à cardes
			Chou frisé	Tomate
			Chou-rave	Courgette

* Portions limitées (voir page 76).

Annexe II

Liste d'emplettes du régime I.G.

GARDE-MANGER	RÉFRIGÉRATEUR ou CONGÉLATEUR
CUISINE ou PÂTISSERIE	**PRODUITS LAITIERS**
Levure chimique (poudre à pâte) ou bicarbonate de soude	Babeurre
Cacao	Fromage cottage (1 %)
Abricots séchés*	Crème glacée (allégée, sans sucre ajouté)
Amandes tranchées	Lait (écrémé)
Son de blé ou d'avoine	Crème sure (sans matières grasses ou 1 %)
Farine de blé entier	Lait de soya (nature, maigre)
HARICOTS (EN CONSERVE)	Yogourt (0 % M.G., avec édulcorant)
Haricots au four (maigres)	**FRUITS**
Salade de haricots mélangés	Pomme
La plupart des variétés	Mûre
Chili végétarien	Bleuet
PAIN	Cerise
Blé entier 100 % moulu sur pierre	Pamplemousse
CÉRÉALES	Raisin
All-Bran	Citron
Bran-Buds	Lime
Fibre First	Orange
Kashi Go Lean	Pêche

Son d'avoine	Poire
Gruau (à l'ancienne, flocons d'avoine)	Prune
	Framboise
BOISSONS	Fraise
Eau en bouteille	**VIANDE ou VOLAILLE ou POISSONS ou ŒUFS**
Eau gazéfiée	Tous les poissons et fruits de mer (non panés)
Café décaféiné	Poitrine de poulet ou de dinde (sans peau)
Boissons gazeuses diète	Bœuf haché maigre
Thé	Charcuterie de jambon, dinde, poulet maigre
MATIÈRES GRASSES	Œufs liquides
Amandes	Filet de porc
Huile de canola	Veau
Margarine (non hydrogénée, légère)	**LÉGUMES**
Mayonnaise (sans matières grasses)	Asperge
Huile d'olive	Haricot (vert ou jaune)
Vinaigrettes (sans matières grasses)	Poivron et piment fort
Huile végétale en aérosol	Brocoli
FRUITS (EN CONSERVE ou EN BOCAL)	Chou
Compote de pommes (sans sucre)	Carotte
Mandarines	Chou-fleur
Pêches dans le jus ou l'eau	Céleri
Poires dans le jus ou l'eau	Concombre
PÂTES	Aubergine
Capellini	Poireau
Fettucine	Laitue
Macaroni	Champignon
Penne	Olive
Spaghetti	Oignon
Vermicelle	Marinade
SAUCES POUR PÂTES	Pomme de terre (nouvelle seulement)
(à base de légumes seulement)	Pois mange-tout
Healthy Choice	Épinard
Too Good To Be True	Tomate
RIZ	Courgette
Basmati ou grains longs ou sauvage	**SOUPES**
ASSAISONNEMENTS	Healthy Choice
Vinaigres ou sauces aromatisés	Too Good to Be True
Fines herbes ou épices	**ÉDULCORANTS**
COLLATIONS	Égal, Splenda, Sweet'n Low, Sugar Twin (et
Barre alimentaire (Zone ou Balance)	d'autres succédanés de sucre)

Annexe III

Régime I. G.
Conseils pour les repas au restaurant et les voyages

PETIT-DÉJEUNER FEU VERT	PETIT-DÉJEUNER FEU ROUGE
Gruau	Céréales froides
All-Bran	Muffins
Fruits	Œufs entiers ordinaires
Yogourt (o % M.G., avec édulcorant)	Bacon ou saucisses
Blancs d'œufs – Omelette	Crêpes, gaufres
Blancs d'œufs – Brouillés	
DÉJEUNER FEU VERT	**DÉJEUNER FEU ROUGE**
Sandwiches – ouverts, blé entier	Pommes de terre (remplacées par double portion de légumes)
Viandes – jambon ou poulet ou dinde style charcuterie	Repas à base de pâtes
Salades – faible en matières grasses, vinaigrette à part	Restauration rapide
Soupes – gros morceaux de légumes, haricots	Pizza ou pain blanc ou bagel
Wraps – ½ pita, sans mayonnaise	Fromage
Pâtes – ¼ d'assiette maximum	Beurre ou mayonnaise
Légumes	Plats cuisinés

DÎNER FEU VERT	DÎNER FEU ROUGE
Soupes - gros morceaux de légumes, haricots	Soupes à base de crème
Légumes	Salade César
Poulet ou dinde sans peau	Bœuf ou agneau ou porc
Poissons – ni pané ni frit	Pommes de terre (remplacées par double portion de légumes)
Salades – faible en M.G., vinaigrette à part	Desserts
Pâtes – ¼ d'assiette maximum	Pain
Riz (basmati, brun, sauvage, grains longs)	Beurre ou mayonnaise
Fruits	

COLLATIONS FEU VERT	COLLATIONS FEU ROUGE
Fruits frais	Croustilles, tous types
Yogourt (0 % M.G., avec édulcorant)	Biscuits
½ barre alimentaire (ex. : Balance)	Muffins
Amandes	Maïs éclaté, ordinaire
Noisettes	

PORTIONS	
Viandes	Paume de la main ou paquet de cartes
Légumes	Minimum ½ assiette
Riz ou pâtes	Maximum ½ assiette

Annexe IV

Calories dépensées lors de l'exercice

Poids (en kilos)	60	72	90
Temps (en min.)	30	30	30
ACTIVITÉS AU GYMNASE ET À LA MAISON			
Aérobique : douce	172	211	264
Aérobique : avec sauts	218	269	336
Aérobique, banc : doux	218	269	336
Aérobique, banc : avec sauts	312	384	480
Aérobique : aquatique	125	154	192
Bicyclette stationnaire : modéré	218	269	336
Bicyclette stationnaire : vigoureux	328	403	504
Entraînement en circuit : général	250	307	384
Aviron, stationnaire : modéré	218	269	336
Aviron, stationnaire : vigoureux	265	326	408
Appareil à ski : général	296	365	456
Appareil à escalier : général	187	230	288
Haltérophilie : général	94	115	144
Haltérophilie : vigoureux	187	230	288

ACTIVITÉS D'ENTRAÎNEMENT			
Basket-ball : une partie	250	307	384
Basket-ball : fauteuil roulant	203	250	312
Bicyclette : BMX ou montagne	265	326	408
Bicyclette : 19 à 22 km/h	250	307	384
Bicyclette : 22,5 à 25,5 km/h	312	384	480
Boxe : entraînement	281	346	432
Football : compétition	281	346	432
Football : touch, flag, général	250	307	384
Frisbee	94	115	144
Golf : à pied	172	211	264
Golf : en voiturette	109	134	168
Gymnastique : général	125	154	192
Handball : général	374	461	576
Randonnée pédestre	187	230	288
Patin à glace : général	218	269	336
Arts martiaux : général	312	384	480
Racket-ball : compétition	312	384	480
Racket-ball : général	218	269	336
Escalade : ascension	343	422	528
Escalade : descente	250	307	384
Patin à roues alignées	218	269	336
Saut à la corde	321	384	480
Course : 8 km/h (7,5 min/km)	250	307	384
Course : 8,36 km/h (7,2 min/km)	281	346	432
Course : 9,65 km/h (6,25 min/km)	312	384	480
Course : 10,78 km/h (5,62 min/km)	343	422	528
Course : 12,06 km/h (5 min/km)	390	480	600
Course : 13,8 km/h (4,38 min/km)	452	557	696
Course : 16 km/h (3,75 min/km)	515	634	792

Course : fauteuil roulant	250	307	384
Course : à travers la campagne	281	346	432
Ski de fond	250	307	384
Ski : descente	187	230	288
Raquette	250	307	384
Balle molle : général	156	192	240
Natation : général	187	230	288
Tennis : général	218	269	336
Volley-ball : général	94	115	144
Volley-ball : compétition	125	154	192
Volley-ball : plage	250	307	384
Marche : 5,63 km/h (10 min/km)	125	154	192
Marche : 6,43 km/h (9,38 min/km)	140	173	216
Marche : 7,24 km/h (8,12 min/km)	156	192	240
Marche/Jogging : plus de 10 min.	187	230	288
Water-polo	312	384	480
Ski nautique	187	230	288
Eau vive : rafting, kayak	156	192	240
ACTIVITÉS DE LA VIE COURANTE			
Jeux d'enfants : 4 coins, etc.	156	192	240
Couper et fendre du bois	187	230	288
Jardinage : général	140	173	216
Ménage : général	109	134	168
Tondre la pelouse : manuellement	172	211	264
Tondre la pelouse : moteur	140	173	216
Souffleuse à neige : marche	140	173	216
Passer le râteau	125	154	192
Relations sexuelles : effort modéré	47	58	72
Pelleter de la neige : manuellement	187	230	288

Annexe V

Les dix règles d'or du régime I. G.

1. Mangez trois repas et trois collations chaque jour. Ne sautez pas de repas, particulièrement le petit-déjeuner.
2. Tenez-vous-en strictement aux aliments de la catégorie feu vert dans la phase I.
3. En ce qui concerne les aliments, la quantité est aussi importante que la qualité. Réduisez vos portions habituelles, particulièrement les portions de viande, de pâtes et de riz.
4. Faites en sorte que chaque repas contienne des glucides, des protéines et des lipides en quantité adéquate.
5. Mangez au moins trois fois plus de légumes et de fruits que d'habitude.
6. Buvez beaucoup de liquide, préférablement de l'eau.
7. Faites 30 minutes d'exercice 1 fois par jour, ou 15 minutes d'exercice 2 fois par jour.
8. Trouvez un ami qui suivra le même programme que vous, et encouragez-vous mutuellement.
9. Fixez des objectifs réalistes. Essayez de perdre en moyenne un demi-kilo par semaine, et notez vos

progrès pour renforcer votre sentiment d'accomplissement.

10. Ne considérez pas ce programme comme un régime. C'est ainsi que vous mangerez jusqu'à la fin de vos jours.

GIDiet.com

Je souhaite vivement recevoir vos commentaires sur le régime I. G. J'aimerais surtout savoir comment vous avez vécu personnellement le régime, et je vous invite à me faire part de vos suggestions. Vous pouvez communiquer avec moi par le site web suivant : www.gidiet.com.

Vous pouvez également vous abonner au bulletin gratuit, qui fait état de l'évolution des recherches en nutrition et en médecine et qui contient des commentaires de lecteurs.

RÉGIME I. G. : JOURNAL DE PERTE HEBDOMADAIRE DE POIDS ou TOUR DE TAILLE

SEMAINE	DATE	POIDS	TAILLE	COMMENTAIRES
1.				
2.				
3.				
4.				
5.				
6.				
7.				
8.				
9.				
10.				
11.				
12.				
13.				
14.				
15.				
16.				
17.				
18.				
19.				
20.				

RÉGIME I. G. : JOURNAL D'EXERCICE

T = temps　　　**D = distance**

DATE	MARCHE		JOGGING		BICYCLETTE		RÉSISTANCE	ÉTIREMENTS	AUTRES
	T	D	T	D	T	D	Reprises		

Index

Index
des recettes

NOTES

NOTES

NOTES

NOTES